OPEN DOOR TO SPANISH

$2 75¢

BY

MARGARITA MADRIGAL

REGENTS PUBLISHING COMPANY, INC.

Books by **MARGARITA MADRIGAL**

OPEN DOOR TO SPANISH 1
OPEN DOOR TO SPANISH 2
MADRIGAL'S MAGIC KEY TO SPANISH
SEE IT AND SAY IT IN SPANISH
FIRST STEPS IN SPANISH
AN INVITATION TO SPANISH
(with Ezequías Madrigal)
MADRIGAL'S MAGIC KEY TO FRENCH
(with Colette Dulac)
SEE IT AND SAY IT IN FRENCH
(with Colette Dulac)
OPEN DOOR TO FRENCH
(with Colette Dulac)
FIRST STEPS IN FRENCH
(with Colette Dulac)
AN INVITATION TO FRENCH
(with Pierre Launay)
MADRIGAL'S MAGIC KEY TO GERMAN
(with Ursula Meyer)
AN INVITATION TO GERMAN
(with Ursula Meyer)
SEE IT AND SAY IT IN GERMAN
(with Inge Halpert)
AN INVITATION TO ITALIAN
SEE IT AND SAY IT IN ITALIAN
(with Giuseppina Salvadori)
AN INVITATION TO PORTUGUESE
(with Henriqueta Chamberlain)
INVITACIÓN AL INGLÉS
(with Ursula Meyer)

A set of recordings accompanying this book is available.

Copyright © 1959, 1972 by MARGARITA MADRIGAL
Library of Congress Catalog Card Number: 59-14746
PRINTED IN THE UNITED STATES OF AMERICA

Foreword

There are thousands of Spanish words which are similar or identical to their English equivalents. Therefore, everyone who speaks English has a large ready made vocabulary in Spanish.

This book teaches the student which words are similar in English and Spanish and also shows him how to form Spanish words himself. Thus, he never gets lost on the open sea of a strange language. He begins on familiar ground and never leaves it. This gives him confidence, which is the most important factor in learning to speak a language. For example, in the WORD BUILDER exercise of Lesson One, he learns that most words which end in OR are identical in Spanish and English. With this knowledge he is ready to "build" his own words. It seems simple for him to say "el tractor, el color, el doctor, el favor" and so many more OR words. Because the student is confident and on familiar ground, he is able to understand the teacher's questions and answer them in Spanish even during the first hour of instruction. When he hears himself actually speaking Spanish, he gains a sense of accomplishment and exhilaration which leads him on to greater effort.

This book is designed to teach pupils to speak Spanish. The teacher's role, therefore, is very important. The teacher is the one who must bring the material in the book to life by means of the proper tones and gestures. Language becomes alive and beautiful when it is spoken. Spanish is an emotional language and pupils enjoy its emotionality. When the teacher leads them well, the students quickly learn to say "¡Es terrible!" so that it sounds terrible and "¡Es fantástico!" so that it sounds fantastic.

In this regard, the following suggestions may prove helpful to the teacher in making the use of this book more effective:

1. Begin each new lesson by reading the Spanish words in the section REMEMBER THESE WORDS with verve and energy. Ask the students to repeat each word after you say it. 2. Read the SPEAKING EXERCISE aloud and have the pupils repeat each complete sentence after you. Remember that when you say a sentence with enthusiasm, the pupils will repeat it with enthusiasm.

3. Ask individual students to answer the questions from the CONVERSATION section. 4. Show the pupils how to form Spanish words as indicated in the WORD BUILDER exercise. Ask the students to repeat each word in this section aloud after you. Then, with closed books, ask the students to say as many Spanish words from this section as they can remember. In subsequent reviews the pupils will learn to remember more and more words from each WORD BUILDER exercise. 5. In the EXERCISE section, ask individual students to say the correct answer to each question aloud. Then ask all the students to write the correct answers to the questions. This can be used both as classroom work and homework. 6. A constant review of the previous lessons helps pupils to remember them well. Thus, undertake this review with closed books as soon as possible. Begin each lesson with a lively review (books closed) and keep close to the maximum speed at which the pupils can understand. Repetition is excellent. Pupils don't mind repeating as long as you keep increasing the speed and combining sentences from different exercises. In this way the lessons always remain a challenge. At the same time the material is kept fresh in the pupils' minds.

It should be mentioned that the grammar in this book is so gently introduced that the pupil is hardly aware of it. The stress is placed on the use of the language. For example, a pupil who has learned what is in the book can manipulate tenses with ease. Verbs are no mystery to him. He is able to take a regular verb he has never heard before and use it immediately in the proper tense, since what he has learned is not individual verbs but the technique of transferring one verb form to another. In no lesson in the book is the pupil's mind cluttered by complex or lengthy grammatical explanations. He is left free to speak and enjoy the Spanish language.

The material in this book is in everyday use in Spanish speaking countries. The vocabulary was selected from tape recordings of actual conversations of people from Spain, Mexico, Chile, Venezuela and many other Spanish speaking countries. The research for the selection of this vocabulary was made over a period of four years.

New York City MARGARITA MADRIGAL

Table of Contents

TABLE OF CONTENTS (*Continued*)

PRONUNCIATION

- A is pronounced "ah", as in *art*.
- E is pronounced "e", as in *desk*.
- I is pronounced "ee", as in *meet*.
- O is pronounced "o", as in *obey*.
- U is pronounced "oo", as in *too*.
- B is generally pronounced "b", as in *boat*. But when the letter "b" appears between vowels, pronounce it very softly, with your lips touching lightly. Pronounce "saber" with a very soft "b".
- C Pronounce a hard "c" before the letters "a", "o", "u", as in *can, core, cute*. Before "e" or "i" the "c" is pronounced as in *center*.
- CC is pronounced "cc" as in *accent*.
- G Pronounce a hard "g" before the letters "a", "o", "u", as in *gone*. Before "e" or "i" the "g" is pronounced "h", as in *hot*.
- H Never pronounce the letter "h". It is always silent in Spanish.
- J The letter "j" is pronounced "h", as in *hill*.
- LL is pronounced "y", as in *yet*.
- Ñ is pronounced "ny", as in *canyon*.
- R The "r" is trilled.
- RR is strongly trilled.
- Y is pronounced as the "y" in *toy*. In Spanish, "y" means "and". In this case "y" is pronounced "ee" as in *seen*.
- GUE Pronounce as the "gue" in *guess*.
- GUI Pronounce as the "gee" in *geese*.
- QUE Pronounce as the "ke" in *kettle*.
- QUI Pronounce as the English word *key*.

Lesson 1

REMEMBER THESE WORDS

Say the following words aloud:

el, *the*
el tractor, *the tractor*
el tren, *the train*
el piano, *the piano*
el plato, *the plate*
el elefante, *the elephant*
el animal, *the animal*
sí, *yes*

el hotel, *the hotel*
el sombrero, *the hat (any hat)*
es, *is*
el mosquito, *the mosquito*
chiquito, *tiny, little*
el insecto, *the insect*
grande, *big*
el rancho, *the ranch*

SPEAKING EXERCISE

1. El elefante es grande. 
2. El mosquito es chiquito.
3. El sombrero es chiquito.
4. El tren  es grande.
5. El tractor  es grande.
6. El piano es grande. 
7. El plato es chiquito. 
8. El insecto es chiquito. 
9. El animal es grande. 

10. El hotel es grande.

CONVERSATION

1. ¿Es grande el elefante? *Is the elephant big? (Is big the elephant?)*
   Sí, el elefante es grande.
2. ¿Es chiquito el mosquito?
   Sí, el mosquito es chiquito.

3. ¿Es chiquito el sombrero?
   Sí, el sombrero es chiquito.
4. ¿Es grande el tren?
   Sí, el tren es grande.
5. ¿Es grande el tractor?
   Sí, el tractor es grande.
6. ¿Es grande el piano?
   Sí, el piano es grande.
7. ¿Es chiquito el plato?
   Sí, el plato es chiquito.

8. ¿Es chiquito el insecto?
   Sí, el insecto es chiquito.
9. ¿Es grande el animal?
   Sí, el animal es grande.
10. ¿Es grande el hotel?
    Sí, el hotel es grande.

WORD BUILDER

Most English words which end in OR are like Spanish words. These OR words are wonderful because you don't have to learn them, you already know them. Only practice their Spanish pronunciation. Be sure to stress the last syllable of these words, like this: mo-TOR.

OR Words

Say these words aloud:

el tractor, el motor, el actor, el doctor, el color, el favor, el director, el humor, el honor, el tumor, el vigor, el error

EXERCISE

Choose the correct word:

1. El elefante es (grande, chiquito).
2. El mosquito es (grande, chiquito).
3. El tren es (grande, chiquito).
4. El hotel es (grande, chiquito).
5. El insecto es (grande, chiquito).
6. El piano es (grande, chiquito).
7. El rancho es (grande, chiquito).
8. El tractor es (grande, chiquito).

You have learned many Spanish words in your first lesson. Try to use them as much as you can. When you see a hat, say the Spanish word "sombrero", when you see a tractor, say "el tractor", etc., etc.

Lesson 2

(*Negative Form*)

REMEMBER THESE WORDS

Say the following words aloud:

un, *a, an*
un rancho, *a ranch*
un animal, *an animal*
un insecto, *an insect*
el auto, *the car, the auto*
el motor, *the motor*
no, *no, not*

un actor, *an actor*
el avión, *the airplane*
el tigre, *the tiger*
popular, *popular*
chiquito, *little, tiny*
grande, *big*
no es, *is not (no is)*

SPEAKING EXERCISE

Read these sentences aloud:

1. El elefante  es grande.
2. El elefante no es chiquito.
3. El mosquito es chiquito.
4. El mosquito no es grande.
5. El tren 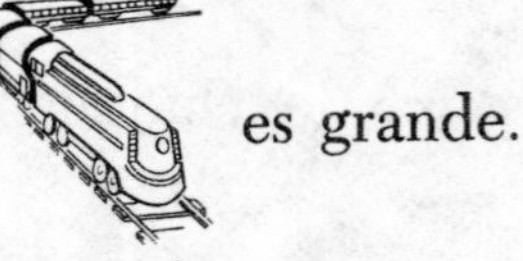 es grande.
6. El tren no es chiquito.
7. El piano es grande. 
8. El piano no es chiquito.
9. El avión es grande.
10. El avión no es chiquito.
11. El rancho es grande.
12. El rancho no es chiquito.

13. El auto es grande.
14. El auto no es chiquito.
15. El plato no es grande.
16. El tractor no es chiquito.
17. El actor es popular.
18. El mosquito no es popular.
19. El insecto no es grande.
20. El elefante es un animal.
21. El mosquito es un insecto.
22. El elefante no es un insecto.
23. El tigre es un animal.
24. El tigre no es un insecto.
25. El tigre no es chiquito.

CONVERSATION

1. ¿Es grande el mosquito? *Is the mosquito big? (Is big the mosquito?)*
   No, el mosquito no es grande. El mosquito es chiquito.
2. ¿Es chiquito el elefante?
   No, el elefante no es chiquito. El elefante es grande.
3. ¿Es chiquito el avión?
   No, el avión no es chiquito.
   El avión es grande.
4. ¿Es grande el rancho?
   Sí, el rancho es grande.
5. ¿Es popular el actor?
   Sí, el actor es popular.
6. ¿Es popular el mosquito?
   No, el mosquito no es popular.

7. ¿Es chiquito el tren?
   No, el tren no es chiquito. El tren es grande.
8. ¿Es chiquito el auto? 
   No, el auto no es chiquito. El auto es grande.
9. ¿Es chiquito el tigre?
   No, el tigre no es chiquito.
   El tigre es grande.
10. ¿Es chiquito el motor?
    No, el motor no es chiquito. El motor es grande.

WORD BUILDER

Most Spanish words which end in AL are like English words, so you already know them. Only practice their Spanish pronunciation. Be sure to stress the last syllable of each word, like this: cen-TRAL.

AL Words

Say these words aloud:

el canal, central, el cereal, federal, el metal, tropical, el animal, colonial, final, formal, el hospital, plural, natural, local

EXERCISE

Choose the correct form:

1. El mosquito (es, no es) chiquito.
2. El elefante (es, no es) chiquito.
3. El avión (es, no es) grande.
4. El rancho (es, no es) grande.
5. El tractor (es, no es) chiquito.

6. El insecto (es, no es) chiquito.

7. El elefante (es, no es) un insecto.

8. El tigre (es, no es) un insecto.

9. El tren (es, no es) chiquito.

10. El mosquito (es, no es) grande.

Lesson 3

(*Feminine Words*)

In Spanish we have masculine and feminine words. Most feminine words end in the letter A. The A is pronounced "Ah" as in "Ah, sweet mystery."

When a man sees a beautiful "señorita" he says:

Remember: A is feminine. Most feminine words end in A.

REMEMBER THESE WORDS

la, *the* (*before feminine words*)
la señorita, *the young lady*
la rosa, *the rose*
la pera, *the pear*
la fruta, *the fruit*
bonita, *pretty*
deliciosa, *delicious*
la blusa, *the blouse*
la casa, *the house*
una, a, *an (before feminine words)*
una fruta, *a fruit*
blanca, *white*

The above words are feminine. Notice that they all end in A.

SPEAKING EXERCISE

Read these sentences aloud:

1. La señorita es bonita.
2. La rosa es bonita.
3. La blusa es bonita.
4. La blusa es blanca.

5. La casa es blanca.

6. La rosa es blanca.

7. La pera es una fruta.

8. La pera es deliciosa.

9. La fruta es deliciosa.

10. La rosa no es una fruta.

CONVERSATION

1. ¿Es bonita la blusa? *Is the blouse pretty? (Is pretty the blouse?)*
   Sí, la blusa es bonita.

2. ¿Es bonita la señorita?
   Sí, la señorita es bonita.

3. ¿Es bonita la rosa?
   Sí, la rosa es bonita.

4. ¿Es blanca la rosa?
   Sí, la rosa es blanca.

5. ¿Es blanca la casa?
   Sí, la casa es blanca.

6. ¿Es deliciosa la pera?
   Sí, la pera es deliciosa.

7. ¿Es deliciosa la fruta?
   Sí, la fruta es deliciosa.

WORD BUILDER

Most English words that end in ENT or ANT become Spanish words when you add the letter E to them. Stress the next to the last syllable in these words, like this: im-por-TAN-te.

ENT and ANT Words

Say these words aloud:

el permanente, el presidente, el accidente, el continente, el agente, el cliente, competente, decente, transparente, prominente, presente, evidente, excelente, conveniente, diferente, el restaurante, el instante, importante, constante, elegante, ignorante, suficiente (enough), suficiente café (enough coffee)

EXERCISE

Fill in the blanks below. Follow the example given in the first sentence:

1. El ....*tractor*.... es grande.
2. La  .... es bonita.
3. La  .... es deliciosa.
4. La  .... es blanca.
5. El  .... es grande.
6. El  .... es grande.
7. El  .... es grande.
8. El  .... no es grande.
9. El  .... es grande.
10. La  .... es bonita.

Lesson 4

(*Masculine Words, Agreement of Adjectives*)

In Spanish most masculine words end in the letter O.
You have learned that the feminine letter is A.
When a man sees a beautiful "señorita" he says:

When the man says "ah", the "señorita" says:

O is the masculine letter. A is the feminine letter.
Most masculine words end in O.
Most feminine words end in A.

Masculine Words	Feminine Words
el sombrero	la rosa
el piano	la casa
el plato	la pera

Use masculine adjectives with masculine nouns.

El sombrero es bonito.

Use feminine adjectives with feminine nouns.

La blusa  es bonita.

REMEMBER THESE WORDS

el disco, *the phonograph record*
la sardina, *the sardine*
la ensalada, *the salad*
la aspirina, *the aspirin*
la sopa, *the soup*
ay no, *oh no*

	Masculine	Feminine
pretty	bonito	bonita
white	blanco	blanca
black	negro	negra
little	chiquito	chiquita
delicious	delicioso	deliciosa

SPEAKING EXERCISE

Read these sentences aloud:

1. La sardina es chiquita.
2. El sombrero es chiquito.
3. El piano no es chiquito.
4. La rosa es bonita.
5. El sombrero es bonito.
6. La pera es una fruta.

7. La pera es deliciosa.

8. La aspirina no es deliciosa. 

9. La sopa es deliciosa. 

10. La ensalada es deliciosa. 

11. La casa es blanca.

12. El disco no es blanco.

13. El disco es negro.

14. La blusa no es negra. 

15. La blusa es blanca.

CONVERSATION

1. ¿Es negro el disco? *Is the record black? (Is black the record?)*
   Sí, el disco es negro.

2. ¿Es negra la casa?
   No, la casa no es negra. La casa es blanca.

3. ¿Es bonito el sombrero?
   Sí, el sombrero es bonito.

4. ¿Es bonita la blusa?
   Sí, la blusa es bonita.

5. ¿Es chiquito el mosquito?
   Sí, el mosquito es chiquito.

6. ¿Es chiquita la casa?
   No, la casa no es chiquita.

7. ¿Es chiquita la sardina?
Sí, la sardina es chiquita.

8. ¿Es chiquita la aspirina?
Sí, la aspirina es chiquita.

9. ¿Es blanca la aspirina?
Sí, la aspirina es blanca.

10. ¿Es deliciosa la aspirina?
Ay no, la aspirina no es deliciosa.

11. ¿Es deliciosa la sopa?
Sí, la sopa es deliciosa.

12. ¿Es deliciosa la ensalada?
Sí, la ensalada es deliciosa.

WORD BUILDER

Most English words which end in IC become Spanish words when you add the letter O to them. These words receive the stress on the letter which has the written accent.

IC Words

Say these words aloud:
el público, el elástico, el tónico, Atlántico, atómico, democrático, dramático, eléctrico, Pacífico, romántico, diplomático, fantástico (*fantastic*, "*terrific*")

EXERCISES

Give the feminine form of the following words:

1. blanco ....
2. negro ....
3. bonito ....
4. chiquito ....
5. delicioso ....

Choose the correct word:

1. El sombrero es (bonito, bonita).

2. La rosa es (bonito, bonita).

3. La blusa es (blanco, blanca).

4. El disco es (negro, negra).

5. El piano no es (chiquito, chiquita).

6. La sopa es (delicioso, deliciosa).

7. La ensalada es (delicioso, deliciosa).

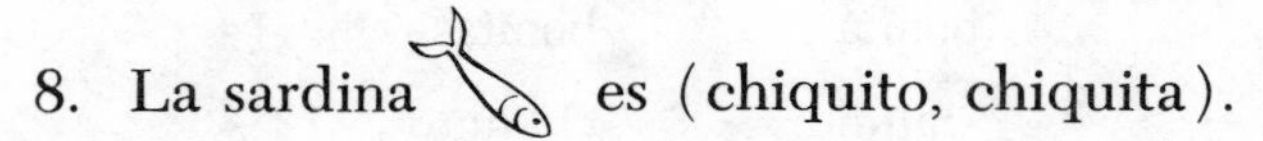

8. La sardina es (chiquito, chiquita).

9. La aspirina es (blanco, blanca).

10. El rancho no es (chiquito, chiquita).

NOTE:

There are some masculine words that don't end in O and some feminine words that don't end in A. Examples: el hotel, el tractor, el animal, el tren, la complexión.

Adjectives which don't end in O or A are both masculine and feminine. Examples: el rancho es grande, la casa es grande, el actor es popular, la señorita es popular.

Lesson 5

(*Plural, Agreement of Adjectives*)

How to form the plural: add the letter S to nouns and adjectives that end in a vowel. (Adjectives agree with nouns in gender and number.)

	Singular	Plural
pretty	bonito	bonitos
	bonita	bonitas
little	chiquito	chiquitos
	chiquita	chiquitas
white	blanco	blancos
	blanca	blancas
delicious	delicioso	deliciosos
	deliciosa	deliciosas

REMEMBER THESE WORDS

los, *the (plural)*
las, *the (plural)*
la violeta, *the violet*
las violetas, *the violets*
el piano, *the piano*
los pianos, *the pianos*
son, *are (plural)*
no son, *are not, aren't*
el chocolate, *the chocolate (drink)*
los chocolates, *the chocolates (candy)*
la mariposa, *the butterfly*
las mariposas, *the butterflies*

SPEAKING EXERCISE

1. La rosa  es bonita.
2. Las rosas  son bonitas.
3. La casa  es blanca.

4. Las casas  son blancas.

5. El sombrero   es bonito.

6. Los sombreros 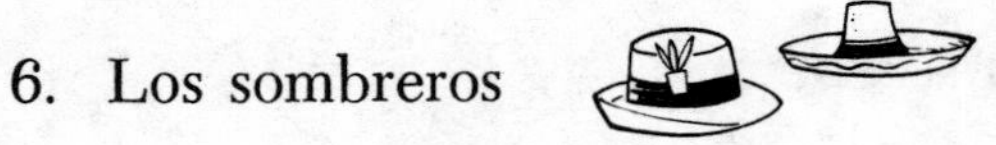 son bonitos.

7. La pera es deliciosa.

8. Las peras son deliciosas.

9. La violeta es chiquita.

10. Las violetas son chiquitas.

11. El chocolate es delicioso.

12. Los chocolates  son deliciosos.

13. El elefante no es chiquito.
14. Los elefantes no son chiquitos.

15. La mariposa es bonita.

16. Las mariposas son bonitas.

CONVERSATION

1. ¿Es bonito el sombrero? *Is the hat pretty? (Is pretty the hat?)*
   Sí, el sombrero es bonito.
2. ¿Son bonitos los sombreros? *Are the hats pretty? (Are pretty the hats?)*
   Sí, los sombreros son bonitos.
3. ¿Es bonita la rosa?
   Sí, la rosa es bonita.
4. ¿Son bonitas las rosas?
   Sí, las rosas son bonitas.
5. ¿Son bonitas las violetas?
   Sí, las violetas son bonitas.
6. ¿Son chiquitas las violetas?
   Sí, las violetas son chiquitas.
7. ¿Es delicioso el chocolate?
   Sí, el chocolate es delicioso.
8. ¿Son deliciosos los chocolates?
   Sí, los chocolates son deliciosos.
9. ¿Es bonita la mariposa?
   Sí, la mariposa es bonita.
10. ¿Son bonitas las mariposas?
    Sí, las mariposas son bonitas.

WORD BUILDER

Most English words that end in OUS become Spanish words when you change the OUS to OSO.

OUS Words

Say these words aloud:
delicioso, curioso, famoso, furioso, generoso, precioso, religioso, victorioso, fabuloso, misterioso *(mysterious)*

Stress the next to the last syllable of these words, like this: fa-MO-so.

EXERCISES

Give the plural of the following words:

1. el sombrero *los sombreros*
2. el piano ....
3. el disco ....
4. la casa ....
5. el mosquito ....
6. el tigre ....
7. la fruta ....
8. la mariposa ....
9. la violeta ....
10. el chocolate ....
11. la pera ....
12. bonito ....
13. bonita ....
14. blanco ....
15. blanca ....
16. negro ....
17. negra ....
18. delicioso ....
19. deliciosa ....
20. chiquita ....

Change these sentences to the negative form:

1. La casa  es grande.

   (Example: La casa no es grande.)

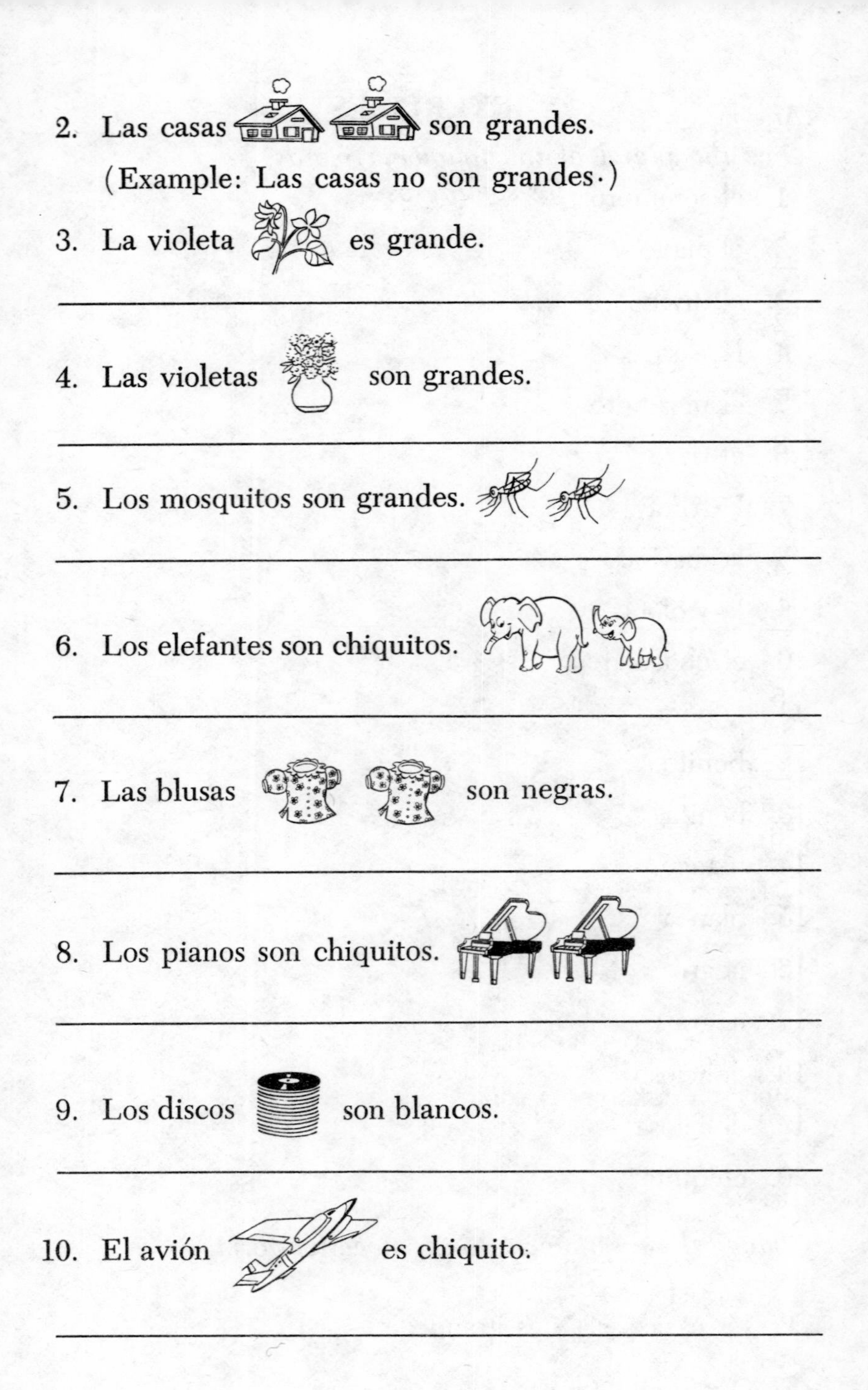

2. Las casas son grandes.

(Example: Las casas no son grandes.)

3. La violeta es grande.

____

4. Las violetas son grandes.

____

5. Los mosquitos son grandes.

____

6. Los elefantes son chiquitos.

____

7. Las blusas son negras.

____

8. Los pianos son chiquitos.

____

9. Los discos son blancos.

____

10. El avión es chiquito.

____

Answer these questions: (Follow the example given below).

1. ¿Es bonita la blusa? 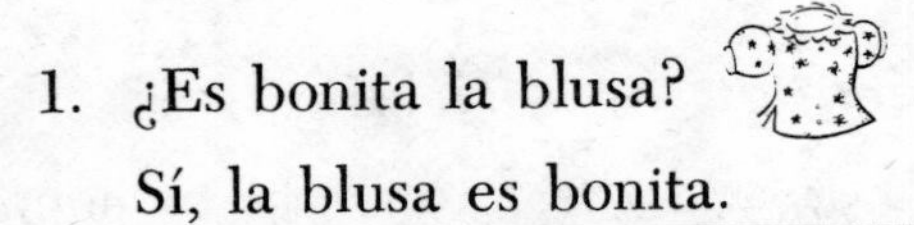

   Sí, la blusa es bonita.

2. ¿Es bonita la rosa? 

3. ¿Es bonita la mariposa? 

4. ¿Es bonita la violeta? 

5. ¿Es deliciosa la pera? 

6. ¿Es delicioso el chocolate? 

7. ¿Es chiquito el mosquito? 

8. ¿Es deliciosa la sopa? 

Lesson 6

(*Plural, Agreement of Adjectives*)

How to form the plural: add the letters ES to nouns and adjectives that end in a consonant.

Singular	*Plural*
el actor	los actores
el color	los colores
el motor	los motores
el animal	los animales
el hospital	los hospitales
popular	populares
natural	naturales

REMEMBER THESE WORDS

los doctores, *the doctors*
los aviones, *the airplanes*
los hoteles, *the hotels*
los trenes, *the trains*
qué, *what*
qué es, *what is*
plural, *plural*
de, *of*
no es, *is not*
no son, *are not (plural)*
una flor, *a flower*
la flor, *the flower*
las flores, *the flowers*
la penicilina, *the penicillin*
una medicina, *a medicine*
el astronauta, *the astronaut*
los autronautas, *the astronauts*

SPEAKING EXERCISE

1. El plural de "avión" es "aviones."

2. El plural de "tren" es "trenes."

3. El plural de "flor" es "flores."

4. Los aviones  son grandes.

5. Los hoteles son grandes.

6. Los trenes no son chiquitos.

7. Las rosas son bonitas.

8. Los sombreros son bonitos.

9. Las mariposas son bonitas.

10. Las flores son bonitas.

11. Las sardinas no son grandes.

CONVERSATION

1. ¿Qué es la pera?
   La pera es una fruta.

2. ¿Son deliciosas las peras?
   Sí, las peras son deliciosas.

3. ¿Qué es la rosa?
   La rosa es una flor.

4. ¿Son bonitas las rosas?
   Sí, las rosas son bonitas.

5. ¿Qué es el plural de "flor"?
   El plural de "flor" es "flores".

6. ¿Son bonitas las flores?
   Sí, las flores son bonitas.

7. ¿Qué es el plural de "avión"?
El plural de "avión" es "aviones".

8. ¿Son grandes los aviones?
Sí, los aviones son grandes.

9. ¿Qué es el plural de "tren"?
El plural de "tren" es "trenes".

10. ¿Qué es el plural de "doctor"?
El plural de "doctor" es "doctores".

11. ¿Qué es el plural de "hotel"?
El plural de "hotel" es "hoteles".

12. ¿Qué es el tigre?
El tigre es un animal. 

13. ¿Qué es la aspirina?
La aspirina es una medicina.

14. ¿Qué es la penicilina?
La penicilina es una medicina.

15. ¿Qué es la violeta?
La violeta es una flor.

16. ¿Qué es el plural de "astronauta"?
El plural de "astronauta" es "astronautas".

WORD BUILDER

You can convert English words that end in IN or INE into Spanish words by changing the IN or INE to INA.

IN and INE Words

Say these words aloud:

la sardina, la medicina, la gasolina, la mina, la penicilina, la quinina, la disciplina, la vaselina, la gelatina, la gabardina, la aspirina, la vitamina

Stress the next to the last syllable of these words, like this: ga-so-LI-na.

EXERCISES

Give the plural of the following words:

1. el hotel Example: los hoteles
2. el avión ....
3. el color ....
4. el animal ....
5. el actor ....
6. el tren ....
7. la flor ....
8. el doctor ....
9. natural ....
10. popular ....

Finish the sentences below. Follow the example given:

1. El plural de "hotel" es hoteles.
2. El plural de "avión" es ....
3. El plural de "doctor" es ....
4. El plural de "pera" es ....
5. El plural de "piano" es ....
6. El plural de "disco" es ....
7. El plural de "animal" es ....
8. El plural de "blusa" es ....

9. El plural de "astronauta" es ....

10. El plural de "tren" es ....

11. El plural de "flor" es ....

12. El plural de "hospital" es ....

13. El plural de "casa" es ....

14. El plural de "bonito" es ....

15. El plural de "bonita" es ....

Answer these questions: (Follow examples given below.)

1. ¿Qué es el elefante?
   El elefante es un animal.

2. ¿Qué es el plural de "disco"?
   El plural de "disco" es "discos".

3. ¿Qué es el tigre?

____

4. ¿Qué es el plural de "tigre"?

____

5. ¿Qué es la pera?

____

6. ¿Qué es el plural de "fruta"?

____

7. ¿Qué es la rosa?

____

8. ¿Qué es el plural de "flor"?

9. ¿Qué es la violeta? 

10. ¿Qué es el plural de "plato"? 

11. ¿Qué es el plural de "astronauta"? 

Lesson 7

(*Position of Adjectives—Hay*)

Adjectives usually follow nouns in Spanish: el sombrero bonito, *the pretty hat (the hat pretty)*. However, adjectives of quantity such as "much" or "many" precede the noun: muchos doctores, *many doctors*.

la blusa bonita
(the pretty blouse)

las blusas bonitas
(the pretty blouses)

la mariposa bonita

las mariposas bonitas

la rosa blanca

las rosas blancas

el sombrero bonito

los sombreros bonitos

REMEMBER THESE WORDS

la gasolina, *the gasoline*
la estación, *the station*
turistas, *tourists*
la paloma, *the dove, the pigeon*
el aeropuerto, *the airport*
en, *in*
la estación de gasolina, *the gasoline station (the station of gasoline)*
el teatro, *the theater*
en el teatro, *in the theater*
la tienda, *the store*
en la tienda, *in the store*
niños, *children*
muchos, *many* (masc.)
hay, *there is, there are*
is there? are there?
el parque, *the park*
en el parque, *in the park*

CONVERSATION

1. ¿Hay flores  en el parque?
   Are there flowers in the park?
   Sí, hay flores en el parque.
   Yes, there are flowers in the park.

2. ¿Hay rosas  en el parque?
   Sí, hay rosas en el parque.

3. ¿Hay violetas  en el parque?
   Sí, hay violetas en el parque.

4. ¿Hay palomas  en el parque?

   Sí, hay palomas en el parque.

5. ¿Hay actores en el teatro?
   Sí, hay actores en el teatro.

6. ¿Hay tractores  en el rancho?

   Sí, hay tractores en el rancho.

7. ¿Hay doctores en el hospital?
   Sí, hay muchos doctores en el hospital.

8. ¿Hay trenes  en la estación?

   Sí, hay trenes en la estación.

9. ¿Hay turistas  en la estación?
Sí, hay turistas en la estación.

10. ¿Hay aviones  en el aeropuerto?
Sí, hay aviones en el aeropuerto.

11. ¿Hay turistas en el aeropuerto?
Sí, hay turistas en el aeropuerto.

12. ¿Hay gasolina en la estación de gasolina?
Sí, hay gasolina en la estación de gasolina.

13. ¿Hay niños en el parque?
Sí, hay muchos niños en el parque.

14. ¿Hay sombreros bonitos  en la tienda?
Sí, hay sombreros bonitos en la tienda.

15. ¿Hay blusas bonitas  en la tienda?
Sí, hay blusas bonitas en la tienda.

16. ¿Hay flores bonitas  en el parque?
Sí, hay flores bonitas en el parque.

17. ¿Hay palomas blancas en el parque?
Sí, hay palomas blancas en el parque.

18. ¿Hay mariposas bonitas  en el parque?
Sí, hay mariposas bonitas en el parque.

19. ¿Qué es el plural de "animal"?
El plural de "animal" es "animales".

20. ¿Hay animales en Africa?
Sí, hay muchos animales en Africa.

WORD BUILDER

Most Spanish words that end in BLE are like English words, so you already know them. Only practice their Spanish pronunciation. Stress the next to the last syllable of these words, like this: pro-BA-ble.

BLE Words

Say these words aloud:

terrible, posible, imposible, horrible, inevitable, noble, probable, flexible, invisible, irresistible, visible, el cable, responsable *(responsible)*

"*Es*" means "it is" and "it's". "*No es*" means "it **is** not" and "it isn't".

Say these words aloud:

Es grande. *It's big.*
No es grande. *It isn't big.*
Es posible. *It's possible.*
No es posible. *It isn't possible.*
Es importante. *It's important.*
No es importante. *It isn't important.*
Es terrible. *It's terrible.*
Es excelente. *It's excellent.*
Es conveniente. *It's convenient.*
No es conveniente. *It isn't convenient.*
Es horrible. *It's horrible.*
Es probable. *It's probable.*
Es diferente. *It's different.*
Es natural. *It's natural.*
Es personal. *It's personal.*

Es blanco. *It's white.* *(When it refers to a masculine thing.)*

Es blanca. *It's white.* *(When it refers to a feminine thing.)*

EXERCISES

Give the plural of the following words:

1. el tractor grande *los tractores grandes*
2. la rosa blanca ....
3. la blusa bonita ....
4. la paloma blanca ....
5. el sombrero bonito ....
6. la mariposa bonita ....
7. la casa blanca ....
8. el rancho grande ....
9. la tienda grande ....
10. la flor bonita ....
11. el avión grande ....

Answer these questions: (Follow the example given in the first sentence.)

1. ¿Hay flores en el parque?
   Sí, hay flores en el parque.
2. ¿Hay rosas en el parque?
   Sí, ...
3. ¿Hay palomas en el parque?
   Sí, ...

4. ¿Hay tractores en el rancho?
   Sí, ...

5. ¿Hay actores en el teatro?
   Sí, ...

6. ¿Hay doctores en el hospital?
   Sí, ...

7. ¿Hay trenes en la estación?
   Sí, ...

8. ¿Hay aviones en el aeropuerto?
   Sí, ...

9. ¿Hay turistas en el hotel?

   Sí, ...

10. ¿Hay gasolina en la estación de gasolina?
    Sí, ...

11. ¿Hay blusas bonitas en la tienda?
    Sí, ...

12. ¿Hay sombreros bonitos en la tienda?
    Sí, ...

Give the negative form of these sentences:

1. Es posible. *(It's possible.)*

___

2. Es grande.
   Example: No es grande.

___

3. Es importante.

___

4. Es conveniente.

____

5. Es probable.

____

6. Es legal.

____

7. Es blanco.

____

8. Es blanca.

____

NOTE: In Spanish you NEVER say that you are "at" places. You are always "in" places.

at the theater, *en el teatro*
at the hospital, *en el hospital*
at the airport, *en el aeropuerto*
at the club, *en el club*
at home, *en casa*

"Turista" is a masculine word (when it refers to a man) although it ends in A: *el turista, los turistas, muchos turistas.*

Lesson 8

(*Review Lesson*)

REMEMBER THESE WORDS

el garaje, *the garage*
hay, *there is, there are*
is there? are there?
inteligente, *intelligent*
el estudiante, *the student*
los estudiantes, *the students*
en la clase, *in the class*
muchos, *many*

SPEAKING EXERCISE

1. El auto  es bonito.
2. Los autos  son bonitos.
3. La sardina  es chiquita.
4. Las sardinas  son chiquitas.
5. Los doctores son inteligentes.
6. Los estudiantes son inteligentes.
7. Hay flores  en el parque.
8. Hay aviones  en el aeropuerto.

CONVERSATION

1. ¿Hay autos  en el garaje?
   Sí, hay muchos autos en el garaje.
   Yes, there are many cars in the garage.

2. Es grande el garaje?
Sí, el garage es grande.

3. ¿Son grandes los autos?
Sí, los autos son grandes.

4. ¿Hay estudiantes en la clase?
Sí, hay estudiantes en la clase.

5. ¿Son inteligentes los estudiantes?
Sí, los estudiantes son inteligentes.

6. ¿Hay flores  en el parque?
Sí, hay flores en el parque.

7. ¿Son bonitas las flores?
Sí, las flores son bonitas.

8. ¿Hay doctores en el hospital?
Sí, hay muchos doctores en el hospital.

9. ¿Son inteligentes los doctores?
Sí, los doctores son inteligentes.

10. ¿Hay trenes  en la estación?
Sí, hay muchos trenes en la estación.

11. ¿Es grande la estación?
Sí, la estación es grande.

12. ¿Son grandes los trenes?
Sí, los trenes son grandes.

13. ¿Hay aviones 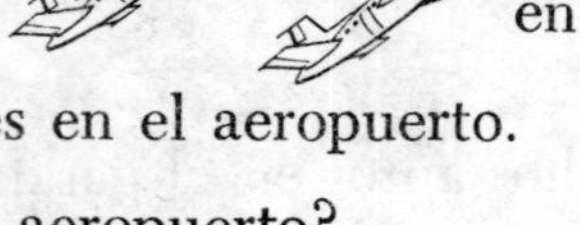 en el aeropuerto?
Sí, hay aviones en el aeropuerto.

14. ¿Es grande el aeropuerto?
Sí, el aeropuerto es grande.

15. ¿Son grandes los aviones?
    Sí, los aviones son grandes.

16. ¿Hay gasolina en la estación de gasolina?
    Sí, hay gasolina en la estación de gasolina.

17. ¿Es deliciosa la gasolina?
    Ay no, la gasolina no es deliciosa.

REVIEW EXERCISES

Finish the sentences below with *bonito, bonita, bonitos* or *bonitas.*

1. Las flores son *bonitas.*
2. Las mariposas son ....
3. El sombrero es ....
4. La blusa es ....
5. El tractor no es ....
6. Las rosas son ....
7. La casa es ....
8. Los sombreros son ....
9. Las blusas son ....
10. El plato es ....
11. Las violetas son ....

Finish the sentences below with *delicioso, deliciosa, deliciosos* or *deliciosas.*

1. La sopa es ....

2. Las frutas son ....

3. Los chocolates son ....

4. La ensalada es ....

5. Las peras son ....

6. La aspirina no es ....

7. El chocolate es ....

8. La gasolina no es ....

9. La medicina no es ....

Give the negative form of the following sentences:

1. El teatro es chiquito.

   Example: El teatro no es chiquito.

2. Los mosquitos son grandes.

   Example: Los mosquitos no son grandes.

3. La gasolina es deliciosa.

   ____

4. Los platos son negros.

   ____

5. Es posible.

   ____

6. Es importante.

   ____

7. Las palomas  son grandes.

____

8. El hotel es terrible.

____

9. El estudiante es ignorante.

____

10. El cable es importante.

____

Answer these questions:

1. ¿Ha autos en el garaje?
   Sí, ...
2. ¿Es deliciosa la gasolina?
   No, ...
3. ¿Son grandes los autos?
   Sí, ...
4. ¿Hay actores en el teatro?
   Sí, ...
5. ¿Hay palomas 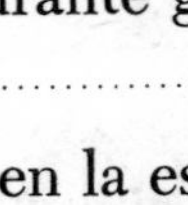 en el parque?
   Sí, ...
6. ¿Hay un restaurante grande en el aeropuerto?
   Sí, ...
7. ¿Hay gasolina en la estación de gasolina?
   Sí, ...

8. ¿Hay hoteles bonitos en Puerto Rico?
Sí, ...

9. ¿Hay turistas  en la estación?

Sí, ...

10. ¿Es inteligente el presidente?
Sí, ...

11. ¿Son bonitas las blusas?
Sí, ...

12. ¿Es bonito el sombrero?
Sí, ...

13. ¿Hay estudiantes en la clase?
Sí, ...

14. ¿Son inteligentes los estudiantes?
Sí, ...

WHAT YOU HAVE LEARNED

You have learned a great deal of Spanish grammar in the first eight lessons. You have applied many rules successfully in the exercises above. Maybe it would interest you to see a list of the rules you can use.

Thus far you have learned that:

1. Most masculine words end in O.
el rancho, el teatro, el sombrero.

2. Most feminine words end in A.
la rosa, la señorita, la casa

3. To form the plural of nouns and adjectives that end in a vowel, you add S.
la rosa, las rosas; bonito, bonitos

4. To form the plural of nouns and adjectives that end in a consonant, you add ES.
el hotel, los hoteles; el color, los colores

5. To form the negative you put NO *(not)* before the verb.
no es, is not; no son, are not

6. Adjectives usually follow nouns.
el sombrero bonito, the pretty hat (the hat pretty)
But adjectives of quantity precede the noun.
muchos autos, many cars

7. Adjectives agree with nouns. Masculine adjectives are used with masculine nouns; feminine adjectives are used with feminine nouns; plurals are used with plurals.
el sombrero bonito, los sombreros bonitos
la blusa bonita, las blusas bonitas

Lesson 9

(*No Hay*)

REMEMBER THESE WORDS

el banco, *the bank*
el dinero, *the money*
el melón, *the melon, the cantaloupe*
el restaurante, *the restaurant*
el aeropuerto, *the airport*
el mercado, *the market*
hay, *there is, there are, is there? are there?*

¿qué hay? *what is there?*
no hay, *there isn't, there aren't, isn't there? aren't there?*
mucho, *much, a lot*
muchos, *many*
el café, *the coffee*
el té, *the tea*
y, *and*
no, *no, not*

SPEAKING EXERCISE

1. No hay café. *There isn't any coffee. (You don't say "any" in Spanish.)*
2. No hay chocolate.
3. No hay té.
4. No hay melones.
5. No hay peras.
6. No hay sardinas.
7. No hay sopa.
8. No hay flores en el parque.

CONVERSATION

1. ¿Qué hay en la estación de gasolina?
   Hay gasolina en la estación de gasolina. 

2. ¿Qué hay en el banco?
   Hay dinero en el banco. 

3. ¿Hay gasolina en el banco?
   No, no hay gasolina en el banco. Hay dinero en el banco.

4. ¿Hay mucho dinero en el banco?
   Sí, hay mucho dinero en el banco.

5. ¿Hay aviones en la estación?
   No, no hay aviones en la estación. Hay trenes en la estación.

6. ¿Hay trenes en el aeropuerto?
   No, no hay trenes en el aeropuerto. Hay aviones en el aeropuerto.

7. ¿Hay un restaurante grande en el aeropuerto?
   Sí, hay un restaurante grande en el aeropuerto.

8. ¿Hay muchos turistas en el restaurante?
   Sí, hay muchos turistas en el restaurante.

9. ¿Hay café en el restaurante?
   Sí, hay café, té y chocolate en el restaurante.

10. ¿Hay gasolina en el restaurante?
    No, no hay gasolina en el restaurante.

11. ¿Qué es el melón?
    El melón es una fruta.

12. ¿Qué es el plural de "melón"?
El plural de "melón" es "melones."

13. ¿Hay melones  en el mercado?
Sí, hay melones en el mercado.

14. ¿Hay peras 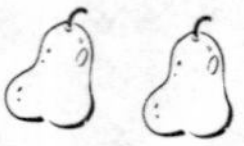 en el mercado?
Sí, hay peras en el mercado.

WORD BUILDER

You can convert English words that end in TION into Spanish words by changing the TION to CIÓN.

TION Words

Say these words aloud:
la invitación, la ambición, la nación, la atención, la celebración, la condición, la constitución, la conversación, la contribución, la descripción, la acción, la elección, la emoción, la intención, la recomendación, la revolución, la ventilación, la aviación, la composición

Other IÓN Words

la complexión, la explosión, la confusión, la decisión, la división, la expansión, la expresión, la impresión, la mansión, la pensión, la reflexión

There are hundreds of IÓN words which you can make up on the spot. Think of as many as you can, and enlarge your vocabulary by leaps and bounds. It is very important to remember that these words are FEMININE.

MUCHO

mucho, *much, a lot (masculine)*
mucho dinero, *much money, a lot of money*

mucha, *much, a lot (feminine)*
mucha gasolina, *much gasoline, a lot of gasoline*

muchos, *many (masculine)*
muchos autos, *many cars*

muchas, *many (feminine)*
muchas rosas, *many roses*

EXERCISES

Answer the following questions:

1. ¿Hay palomas en el banco?

   Example: No, no hay palomas en el banco.

2. ¿Hay gasolina en el banco?
   No, ...

3. ¿Qué hay en el banco?
   Hay ....

4. ¿Qué hay en la estación de gasolina?
   Hay ....

5. ¿Hay tigres en el parque?

   No, ...

6. ¿Hay café?
   No, ...

7. ¿Hay sopa?
   No, ...

8. ¿Hay té?
   No, ...

9. ¿Hay chocolate?
   No, ...

10. ¿Hay flores en el parque?

Sí, ...

11. ¿Hay melones en el mercado?

Sí, ...

12. ¿Son deliciosos los melones?
Sí, ...

Give the plural of the following words:

1. la recomendación Example: las recomendaciones
2. la invitación ....
3. la emoción ....
4. el hotel ....
5. la acción ....
6. la tienda ....
7. la nación ....
8. la composición ....
9. el mercado ....
10. el aeropuerto ....
11. la reflexión ....
12. el disco ....
13. el doctor ....
14. el plato ....
15. el cliente ....

Lesson 10

(*Present Tense of* AR *Verbs,* Singular*)

Stress the next to the last syllable of verbs in the present tense (all the verbs in this lesson).

yo progreso. *I progress*
yo estudio. *I study*
yo compro. *I buy*
yo hablo. *I speak, I talk*

Note: Stress the next to the last syllable firmly, like this: pro-GRE-so, es-TU-dio, COM-pro, HA-blo.

usted progresa, *you progress*
usted estudia, *you study*
usted compra, *you buy*
usted habla, *you speak, you talk*

Practice: pro-GRE-sa, es-TU-dia, COM-pra, HA-bla.

QUESTIONS

To form a question, reverse the order of the words.

¿progresa usted? *do you progress? (progress you?)*
¿estudia usted? *do you study? (study you?)*
¿compra usted? *do you buy? (buy you?)*
¿habla usted? *do you speak? (speak you?)*

REMEMBER THESE WORDS

en el mercado, *in the market*
en la tienda, *in the store*
en la clase, *in the class*
en casa, *at home*
español, *Spanish*
inglés, *English*
un poco, *a little bit*

----

*Verbs ending in AR are also known as verbs of the first conjugation.

compro, *I buy*	¿compra usted? *do you buy?*
hablo, *I speak*	¿habla usted? *do you speak?*
estudio, *I study*	¿estudia usted? *do you study?*
progreso, *I progress*	¿progresa usted? *do you progress?*

NOTE: The word "yo" *(I)* is frequently dropped.

SPEAKING EXERCISE

1. ¿Habla usted inglés? *Do you speak English?*
2. Hablo inglés. *I speak English.*
3. Hablo español.
4. Hablo inglés en casa.
5. Hablo español en la clase.
6. Estudio español.
7. Estudio español en la clase.
8. Compro peras en el mercado.
9. Compro gasolina en la estación de gasolina.
10. Compro blusas en la tienda.

CONVERSATION

1. ¿Compra usted peras en el mercado? *Do you buy pears in the market?*
   Sí, compro peras en el mercado.

2. ¿Compra usted melones en el mercado?
   Sí, compro melones en el mercado.

3. ¿Compra usted flores en el mercado?
Sí, compro flores en el mercado.

4. ¿Compra usted gasolina en la estación de gasolina?
Sí, compro gasolina en la estación de gasolina.

5. ¿Compra usted blusas en la tienda?
Sí, compro blusas en la tienda.

6. ¿Habla usted español? *Do you speak Spanish?*
Sí, hablo español—un poco.

7. ¿Habla usted español en la clase?
Sí, hablo español en la clase.

8. ¿Habla usted inglés?
Sí, hablo inglés.

9. ¿Habla usted inglés en casa?
Sí, hablo inglés en casa.

10. ¿Progresa usted en la clase?
Sí, progreso mucho en la clase.

11. ¿Estudia usted español?
Sí, estudio español.

WORD BUILDER

It is as easy to build verbs as to build any other words. For example, when you add the letter O or A to the following verbs, they become Spanish verbs.

Say these words aloud:

I plant, planto	*do you plant?* ¿planta usted?
I march, marcho	*do you march?* ¿marcha usted?
I deposit, deposito	*do you deposit?* ¿deposita usted?
I import, importo	*do you import?* ¿importa usted?
I export, exporto	*do you export?* ¿exporta usted?
I protest, protesto	*do you protest?* ¿protesta usted?

I form, formo	*do you form?* ¿forma usted?
I invent, invento	*do you invent?* ¿inventa usted?
I present, presento	*do you present?* ¿presenta usted?

Remove the final E from the following English verbs and add O or A.

I vote, voto, ¿vota usted?
I use, uso, ¿usa usted?
I compare, comparo, ¿compara usted?
I combine, combino, ¿combina usted?
I prepare, preparo, ¿prepara usted?

EXERCISES

Change the following statements to questions in the YOU form:

1. Progreso en la clase.
   Example: ¿Progresa usted en la clase?

   ____
2. Estudio español.

   ____
3. Hablo español.

   ____
4. Hablo inglés en casa.

   ____
5. Hablo español en la clase.

   ____
6. Compro peras en el mercado.

   ____
7. Compro gasolina en la estación de gasolina.

   ____

8. Estudio inglés.

____

9. Compro flores en el mercado.

____

Answer the following questions:

1. ¿Qué es el melón?

____

2. ¿Qué es el plural de "melón"?

____

3. ¿Hay melones en el mercado?

____

4. ¿Son deliciosos los melones?

____

5. ¿Compra usted melones en el mercado?

____

6. ¿Qué es la pera?

____

7. ¿Son deliciosas las peras?

____

8. ¿Hay peras en el mercado?

____

9. ¿Compra usted peras en el mercado?

---

10. ¿Habla usted español?

---

11. ¿Habla usted inglés?

---

12. ¿Estudia usted español?

READING EXERCISE

Vocabulary: 1. una ciudad, *a city* 2. muy interesante, *very interesting* 3. hay, *there is, there are, is there? are there?* 4. muchos edificios modernos, *many modern buildings* 5. hoteles, *hotels* 6. teatros, *theaters* 7. y, *and* 8. restaurantes, *restaurants* 9. excelentes (pl.), *excellent* 10. museos, *museums* 11. son, *are* 12. extraordinarios, *extraordinary* 13. en, *in* 14 pinturas, *paintings* 15. estatuas, *statues* 16. grande, *big* 17. Hay mucho tráfico. *There is a lot of traffic.* 18. camiones, *trucks* 19. autobuses, *buses* 20. parques lindos, *beautiful parks* 21. muy bonitas, *very pretty* 22. muchas flores tropicales, *many tropical flowers* 23. siempre, *always* 24. muchos turistas americanos, *many American tourists*

CARACAS, VENEZUELA

Caracas es una ciudad muy interesante. En Caracas hay muchos edificios modernos. Hay hoteles, teatros y restaurantes excelentes. Los museos de Caracas son extraordinarios. En los museos hay pinturas y estatuas excelentes.

Caracas es una ciudad grande. Hay mucho tráfico. Hay autos, camiones y autobuses.

Hay parques lindos en Caracas. En los parques hay estatuas muy bonitas y muchas flores tropicales. En los parques siempre hay muchos turistas americanos.

Lesson 11

(*Negative Present Tense*)

REMEMBER: To form the negative, place the word NO (not) before the verb.

no hablo, *I don't speak*
no estudio italiano, *I don't study Italian*
no compro, *I don't buy*
no trabajo en el banco, *I don't work in the bank*

Practice: tra-BA-jo

REMEMBER THESE WORDS

español, *Spanish*
inglés, *English*
italiano, *Italian*
ruso, *Russian*
Roberto, *Robert*
eso, *that*
ridículo, *ridiculous*
eso es ridículo, *that is ridiculous*
en, *in*

trabajo, *I work*
¿trabaja usted? *do you work?*
no trabajo, *I don't work*

SPEAKING EXERCISE

1. No hablo ruso. *I don't speak Russian.*
2. No hablo italiano.
3. No hablo español en casa.
4. No compro gasolina en el banco.
5. No estudio  ruso.
6. No estudio italiano.
7. No trabajo en el banco.
8. No trabajo en la tienda.

CONVERSATION

1. ¿Habla usted inglés?
   Sí, hablo inglés.
2. ¿Habla usted italiano?
   No, no hablo italiano.
3. ¿Habla usted ruso?
   No, no hablo ruso.
4. ¿Habla usted español?
   Sí, hablo español—un poco.
5. ¿Habla usted español en casa?
   No, no hablo español en casa.
6. ¿Habla usted italiano en la clase?
   No, no hablo italiano en la clase. Hablo español en la clase.
7. ¿Habla usted ruso en casa?
   No, no hablo ruso en casa. Hablo inglés en casa.
8. ¿Compra usted flores  en el banco?
   No, eso es ridículo. No compro flores en el banco.
9. ¿Compra usted gasolina en el banco?
   No, eso es ridículo. No compro gasolina en el banco. Compro gasolina en la estación de gasolina.
10. ¿Estudia usted italiano?
    No, no estudio italiano. 
11. ¿Estudia usted ruso?
    No, no estudio ruso.
12. ¿Trabaja usted en el banco?
    No, no trabajo en el banco.

13. ¿Trabaja usted en la tienda?
No, no trabajo en la tienda.

14. ¿Trabaja usted mucho?
Sí, trabajo mucho.

WORD BUILDER

You can convert nouns that end in ACIÓN into verbs by removing the ACIÓN and adding O (when you speak of yourself) or A (when you speak of another person).

invit*ación* *invitation*	yo invito *I invite*	usted invita *you invite*
celebr*ación* *celebration*	yo celebro *I celebrate*	usted celebra *you celebrate*
prepar*ación* *preparation*	yo preparo *I prepare*	usted prepara *you prepare*
combin*ación* *combination*	yo combino *I combine*	usted combina *you combine*
concentr*ación* *concentration*	yo concentro *I concentrate*	usted concentra *you concentrate*
convers*ación* *conversation*	yo converso *I converse*	usted conversa *you converse*
explor*ación* *exploration*	yo exploro *I explore*	usted explora *you explore*
present*ación* *presentation*	yo presento *I present*	usted presenta *you present*
represent*ación* *representation*	yo represento *I represent*	usted representa *you represent*
salv*ación* *salvation*	yo salvo *I save*	usted salva *you save*
separ*ación* *separation*	yo separo *I separate*	usted separa *you separate*

There are hundreds of these ACIÓN nouns that can be changed into verbs in the same way that the words above have been changed.

Remember that in the present tense you stress the next to the last syllable.

EXERCISES

Change the following statements into the negative form:

1. Hablo italiano en casa.

____

2. Estudio ruso en la clase.

____

3. La clase es grande.

____

4. Trabajo en el banco.

____

5. Compro violetas en el banco.

____

6. La gasolina es deliciosa.

____

7. Los discos son blancos.

____

8. Hay gasolina en la tienda.

____

9. Hay sardinas en el banco.

____

10. Hay dinero en el parque.

____

Answer the following questions:

1. ¿Estudia usted mucho?

____

2. ¿Habla usted ruso?

____

3. ¿Habla usted español?

____

4. ¿Hay muchos estudiantes en la clase?

____

5. ¿Son inteligentes los estudiantes?

____

6. ¿Trabaja usted mucho?

____

7. ¿Trabaja usted en el banco?

____

8. ¿Hay un restaurante bonito en el aeropuerto?

____

REMEMBER: When you speak of yourself, end the verb in O.

Examples: hablo, compro, estudio, trabajo.

When you speak of anyone else (singular), end the verb in A.

Examples: el doctor trabaja, el conductor habla, Roberto estudia.

Say these sentences aloud:

1. Roberto habla español. *Robert speaks Spanish.*
2. Roberto habla italiano.
3. Roberto estudia mucho.
4. Roberto trabaja mucho.
5. Roberto trabaja en el banco.
6. El doctor trabaja en el hospital.
7. El actor trabaja en el teatro.
8. El conductor trabaja en el tren.

"Dónde" means "where."

¿Dónde trabaja usted? *Where do you work?*
¿Dónde trabaja Roberto? *Where does Robert work?*
¿Dónde trabaja el doctor? *Where does the doctor work?*

EVERYDAY EXPRESSIONS

(for conversation and study)

Buenos días, señor. *Good morning, sir.*
Buenas tardes, señor. *Good afternoon, sir.*
Buenas noches, señor. *Good evening, sir. Good night, sir.*

Lesson 12

(*Present Tense—Plural of* AR *Verbs*)

How to form the plural of the present tense of AR verbs:

Take the third person singular, which ends in A. (habla, compra, estudia, trabaja)

1. Add MOS and it becomes the WE form.

hablamos, *we speak*
compramos, *we buy*
estudiamos, *we study*
trabajamos, *we work*

2. Add the letter N and it becomes the THEY form.

hablan, *they speak*
compran, *they buy*
estudian, *they study*
trabajan, *they work*

I speak	HABLO	HABLAMOS	*we speak*
you speak *he speaks* *she speaks*	HABLA	HABLAN	*you (plural) speak* *they speak*

I swim	NADO	NADAMOS	*we swim*
you swim *he swims* *she swims*	NADA	NADAN	*you (plural) swim* *they swim*

REMEMBER THESE WORDS

los mexicanos, *Mexicans*
los italianos, *Italians*
los rusos, *Russians*
el mar, *the sea*
¿dónde?, *where?*

la piscina, *the swimming pool*
en la piscina, *in the swimming pool*
eso es ridículo, *that is ridiculous*
inmenso, *immense*

hablamos, *we speak*
estudiamos, *we study*
nadamos, *we swim*
trabajamos, *we work*

hablan, *they speak*
estudian, *they study*
nadan, *they swim*
trabajan, *they work*

SPEAKING EXERCISE

1. Nado 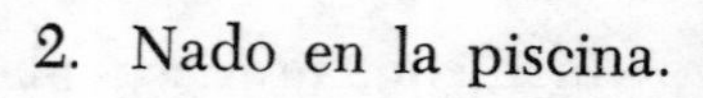 en el mar.
   I swim in the sea.
2. Nado en la piscina. 
3. No nado en la clase.
4. Hablamos español en la clase.
   We speak Spanish in the class.
5. No hablamos italiano en la clase.
6. No hablamos ruso en la clase.
7. Hablamos mucho.
8. Estudiamos mucho.
9. Estudiamos español en la clase.
10. Trabajamos mucho.
11. Los italianos hablan italiano.
    Italians speak Italian.
12. Los rusos hablan ruso.
13. Los mexicanos hablan español.
14. El mar es inmenso.

CONVERSATION

1. ¿Hablamos español en la clase?
   Do we speak Spanish in the class?
   Sí, hablamos español en la clase.
   Yes, we speak Spanish in the class.
2. ¿Hablamos italiano en la clase?
   No, no hablamos italiano en la clase.
3. ¿Hablamos ruso en la clase?
   No, no hablamos ruso en la clase.

4. ¿Estudiamos español en la clase?
Sí, estudiamos español en la clase.

5. ¿Trabajamos mucho en la clase?
Sí, trabajamos mucho en la clase.

6. ¿Estudiamos italiano en la clase?
No, no estudiamos italiano en la clase.

7. ¿Estudiamos ruso en la clase?
No, no estudiamos ruso en la clase.

8. ¿Hablan español los mexicanos?
Do Mexicans speak Spanish?
Sí, los mexicanos hablan español.

9. ¿Hablan italiano los italianos?
Sí, los italianos hablan italiano.

10. ¿Hablan ruso los rusos?
Sí, los rusos hablan ruso.

11. ¿Hablan italiano los rusos?
No, los rusos no hablan italiano. Los rusos hablan ruso.
Los italianos hablan italiano.

12. ¿Nada  usted en el mar?
Sí, nado en el mar.

13. ¿Nada usted en la clase?
No, eso es ridículo. No nado en la clase.

14. ¿Nada usted en la piscina?
Sí, nado en la piscina.

15. ¿Es grande la piscina?
Sí, la piscina es grande.

16. ¿Nadamos en la clase?
No, eso es ridículo. No nadamos en la clase. Nadamos en la piscina.

17. ¿Dónde nada usted?
Nado en el mar.

18. ¿Es grande el mar?
Sí, el mar es inmenso.

WORD BUILDER

Many words that end in CE in English end in CIA in Spanish.

CE Words

Say these words:

la distancia, diferencia, excelencia, inocencia, Alicia, Francia, gracia, ambulancia, experiencia, evidencia, elegancia, indiferencia, justicia, conferencia, importancia, independencia, inteligencia, tolerancia, violencia.

Many words that end in CY in English end in CIA in Spanish.

CY Words

la aristocracia, la democracia, diplomacia, urgencia, farmacia, agencia, tendencia, emergencia.

EXERCISES

Change the following verbs into the WE form (first person plural):

1. estudia ..... estudiamos .....
2. compra ....
3. nada ....
4. progresa ....
5. trabaja ....
6. habla ....
7. prepara ....

Change the following verbs into the THEY form (third person plural):

1. estudia ....estudian....
2. habla ....
3. trabaja ....
4. prepara ....
5. nada ....
6. progresa ....
7. compra ....

Answer the following questions:

1. ¿Hablamos español en la clase?
   Example: Sí, hablamos español en la clase.
2. ¿Hablamos italiano en la clase?
   No, ...
3. ¿Hablamos ruso en la clase?
   No, ...
4. ¿Estudiamos italiano en la clase?
   No, ...
5. ¿Estudiamos inglés en la clase?
   No, ...
6. ¿Trabajamos mucho en la clase?
   Sí, ...
7. ¿Estudiamos español en la clase?
   Sí, ...
8. ¿Hablan ruso los rusos?
   Sí, ...
9. ¿Nada 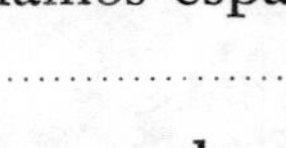 usted en el mar?
   Sí, ...

10. ¿Nada usted en la piscina?
    Sí, ...

11. ¿Hay un elefante en la clase?
    No, eso es ridículo, no ....

12. ¿Hay un tigre en la clase?
    No, por fortuna *(fortunately)*, no ....

NOTE:

The third person of verbs expresses both questions and answers.

Examples:

habla, *you speak, do you speak?*
he speaks, does he speak?
she speaks, does she speak?

estudia, *you study, do you study?*
he studies, does he study?
she studies, does she study?

"Habla español" means:

1. You speak Spanish.
2. He speaks Spanish.
3. She speaks Spanish.
4. Do you speak Spanish?
5. Does he speak Spanish?
6. Does she speak Spanish?

EVERYDAY EXPRESSIONS

(for conversation and study)

Buenos días, señorita. *Good morning, miss.*
Buenas tardes, señorita. *Good afternoon, miss.*
Buenas noches, señorita. *Good evening, miss.*
Good night, miss.

Lesson 13

(*Estar*, to be)

Whenever you say where a thing or person is, the verb IS is *ESTÁ*.

ESTÁ IS FOR LOCATION

Say these sentences:

El auto está en el garaje. *The car is in the garage.*
El tren está en la estación. *The train is in the station.*

I am	ESTOY	ESTAMOS	*we are*
you are *he is* *she is* *it is*	ESTA	ESTÁN	*you (plural) are* *they are*

Notice that ESTOY doesn't end in O. It ends in Y. It is irregular.

REMEMBER THESE WORDS

la crema, *the cream*
el sofá, *the sofa*
en, *on, in*
la mesa, *the table*
la llave, *the key*
no sé, *I don't know*
el fonógrafo, *the phonograph*
mi, *my*
su, *your*
el paraguas, *the umbrella*
¿dónde está? *where is?*
¿dónde están? *where are?*

SPEAKING EXERCISE

1. La crema está en la mesa.
   The cream is on the table.
2. El café está en la mesa.
3. El plato está en la mesa.

4. El auto está en el garaje.
5. Mi sombrero está en el sofá.
6. Las flores están en la mesa.
7. El disco está en el fonógrafo.
8. ¿Dónde está mi sombrero?
9. La llave está en la mesa.
10. El dinero está en el banco.
11. ¿Habla usted español?
12. Hablamos español en la clase.

CONVERSATION

1. ¿Dónde está Roberto? *Where is Robert?*
   Roberto está en casa. *Robert is at home.*
2. ¿Dónde está el profesor?
   El profesor está en la clase.
3. ¿Dónde está el doctor?
   El doctor está en el hospital.
4. ¿Dónde está el café?
   El café está en la mesa.
5. ¿Dónde está el plato?
   El plato está en la mesa.
6. ¿Dónde está la crema?
   La crema está en la mesa.
7. ¿Dónde está el conductor?
   El conductor está en el tren.
8. ¿Dónde está el auto?
   El auto está en el garaje.

9. ¿Dónde está mi sombrero?
Su sombrero está en el sofá.

10. ¿Dónde está el disco?
El disco está en el fonógrafo.

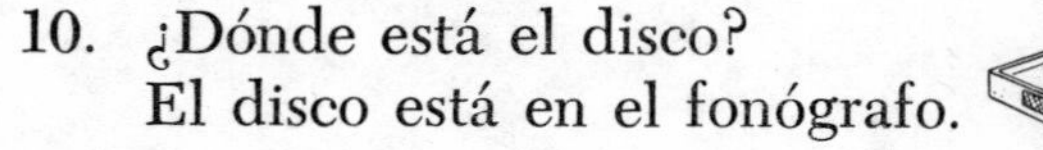

11. ¿Dónde está la llave?
La llave está en la mesa.

12. ¿Dónde están las flores? *Where are the flowers?*
Las flores están en la mesa.

13. ¿Dónde están los estudiantes?
Los estudiantes están en la clase.

14. ¿Dónde están las peras?
Las peras están en la mesa.

15. ¿Dónde está el paraguas?
No sé. *(I don't know.)*

16. ¿Dónde están las aspirinas?
No sé.

17. ¿Dónde están las blusas?
No sé.

WORD BUILDER

Many words which end in IVE in English end in IVO in Spanish.

IVE Words

expresivo, atractivo, explosivo, activo, descriptivo, efectivo, nativo, exclusivo, constructivo, destructivo, negativo, progresivo, ofensivo, productivo, primitivo

EXERCISES

Change the following verbs into the I form (first person singular):

1. estudia Example: estudio *(I study)*
2. habla ....

3. está ....
4. progresa ....
5. prepara ....
6. nada ....
7. compra ....
8. trabaja ....

Insert ESTOY, ESTÁ, ESTAMOS or ESTÁN in the following sentences:

1. Yo *estoy* en la clase.
2. Roberto .... en casa.
3. La flor .... en la mesa.
4. La crema .... en la mesa.
5. Yo .... en casa.
6. El tren .... en la estación.
7. El actor .... en el teatro.
8. Los estudiantes .... en la clase.
9. Roberto no .... en el banco.
10. Las flores .... en la mesa.
11. Yo .... en el banco.

Answer these questions:

1. ¿Dónde está Roberto?

____

2. ¿Dónde está la crema?

____

3. ¿Habla usted español?

4. ¿Nada usted en el mar?

5. ¿Estudia usted mucho?

6. ¿Es grande la llave?

7. ¿Hay flores en el parque?

8. ¿Dónde está el auto?

9. ¿Dónde está el profesor?

10. ¿Hablamos español en la clase?

11. ¿Dónde está el paraguas?

12. ¿Dónde están los estudiantes?

13. ¿Dónde está el disco?

NOTE: "Para" means "for." "Aguas" means "waters." "Paraguas" actually means "for waters" though it is the Spanish word for "umbrella." In English we have the word "parasol" which means "for sun" in Spanish.

EVERYDAY EXPRESSIONS

(for conversation and study)

Learn this very well:

"Cómo" means "how".
¿Cómo está usted? *How are you?*
Bien, gracias, ¿y usted? *Well, thank you! And you?*

READING EXERCISE

Vocabulary: 1. en, *in* 2. hay, *there is, there are, is there? are there?* 2. casas muy bonitas, *very pretty houses* 3. unas casas, *some houses* 4. tienen, *they have* 5. jardines, *gardens* 6. grandes, (pl.), *big* 7. muchas flores, *many flowers* 8. rosas, *roses* 9. blancas, *white* 10. rojas, *red* 11. violetas, *violets* 12. tulipanes, *tulips* 13. geranios, *geraniums* 14. montañas, *mountains* 15. son, *are, they are* 16. fantásticas, *fantastic* 17. también, *also* 18. playas, *beaches* 19. extraordinarias, *extraordinary* 20. mexicanas, *Mexican* 21. famosas, *famous* 22. muchos turistas americanos, *many American tourists* 23. los mexicanos, *the Mexicans* 24. cantan, *sing, they sing* 25. todos, *everybody* 26. nadan, *they swim* 27. agua, *water* fresca, *fresh* 28. y, *and* 29. azul, *blue* 30. azul, azul, *very blue* 31. el Océano Pacífico, *the Pacific Ocean* 32. inmenso, *immense*

MÉXICO

En México hay casas muy bonitas. Unas casas tienen jardines grandes. En los jardines hay muchas flores. Hay rosas blancas y rosas rojas. Hay violetas, tulipanes, geranios, etcétera.

En México hay montañas grandes. Las montañas son fantásticas. También hay playas extraordinarias. Las playas mexicanas son famosas. En las playas hay muchos turistas americanos. Los mexicanos cantan en las playas. Todos nadan. El agua es fresca y azul, azul. El Océano Pacífico es inmenso.

Lesson 14

(*Ir*, to go)

I go, I'm going	VOY	VAMOS	*we go, we're going*
you go, you're going *he goes, he's going* *she goes, she's going*	VA	VAN	*you (plural) go,* *you're (plural) going,* *they go, they are going*

Remember that you frequently drop the words YO, USTED, etc.

REMEMBER THESE WORDS

a, *to*
a la, *to the (feminine)*
al, *to the (masculine) a + el = al*
a la fiesta, *to the party*
a la clase, *to the class*
al teatro, *to the theatre*
al cine, *to the movies*
mañana, *tomorrow*
una isla, *an island*
al mercado, *to the market*
esta, *this*
tarde, *afternoon*
esta tarde, *this afternoon*
¿va? *are you going?*
voy, *I'm going*
no voy, *I'm not going*
en avión, *by plane*
en tren, *by train*

SPEAKING EXERCISE

1. Voy a la fiesta mañana. *I'm going to the party tomorrow.*
2. Voy a la clase mañana.
3. Voy al cine mañana.
4. Voy al teatro mañana.
5. Voy a México mañana.
6. Voy al parque esta tarde.
7. Voy al cine esta tarde.

8. Voy al mercado esta tarde.

9. Voy a Caracas en avión.

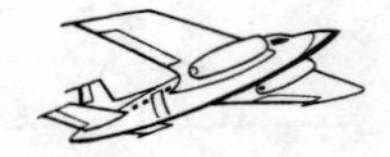

10. Voy al banco esta tarde.

11. Voy a México en tren.

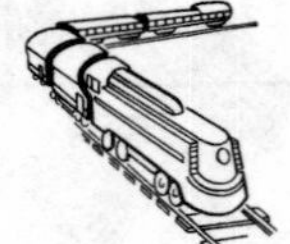

12. Voy al aeropuerto.

13. No voy al parque.

14. No voy a la tienda.

15. Cuba es una isla.

16. Formosa es una isla.

CONVERSATION

1. ¿Va al cine? *Are you going to the movies?*
   Sí, voy al cine esta tarde. *Yes, I'm going to the movies this afternoon.*

2. ¿Va a la fiesta?
   Sí, voy a la fiesta.

3. ¿Va a la clase mañana?
   Sí, voy a la clase mañana.

4. ¿Va a México?
   Sí, voy a México.

5. ¿Va al parque esta tarde?
   Sí, voy al parque esta tarde.

6. ¿Va al mercado mañana?
   Sí, voy al mercado mañana.

7. ¿Va al banco esta tarde?
   Sí, voy al banco esta tarde.

8. ¿Va a México en tren?
   Sí, voy a México en tren.

9. ¿Va a Cuba en tren?
   No, no voy a Cuba en tren. No es posible. Cuba es una isla.

10. ¿Va a California en avión?
    Sí, voy a California en avión.

11. ¿Va al teatro mañana?
    Sí, voy al teatro mañana.

12. ¿Va al teatro en avión?
    No, eso es ridículo. No voy al teatro en avión. Voy al teatro en taxi.

VAMOS means "we go, we are going" and also "let's go."

Say these sentences aloud:
Vamos al parque. *Let's go to the park.*
Vamos al cine. *Let's go to the movies.*
Vamos al banco. *Let's go to the bank.*
Vamos a la clase. *Let's go to the class.*
Vamos a la fiesta. *Let's go to the party.*
Vamos a mi casa. *Let's go to my house.*
Vamos al aeropuerto. *Let's go to the airport.*
Vamos a la tienda. *Let's go to the store.*

EXERCISES

Change the following verbs into the I form (first person singular):

1. preparan Example: preparo
2. trabajan ....
3. están ....

4. nadan ....
5. van ....
6. compran ....
7. estudian ....
8. hablan ....
9. progresan ....

Change the following verbs into the WE form (first person plural):

1. exporta Example: exportamos
2. habla ....
3. estudia ....
4. va ....
5. trabaja ....
6. nada ....
7. está ....
8. prepara ....
9. compra ....

Answer the following questions:

1. ¿Va al cine mañana?
   Example: Sí, voy al cine mañana.
2. ¿Va a la clase esta tarde?
   Sí, ...
3. ¿Va al banco esta tarde?
   No, ...
4. ¿Va a México?
   Sí, ...

5. ¿Va a la fiesta mañana?
   Sí, ...

6. ¿Va al parque esta tarde?
   Sí, ...

7. ¿Va al teatro en taxi?
   Sí, ...

8. ¿Nada usted en la piscina?
   Sí, ...

9. ¿Habla usted español?
   Sí, ...

10. ¿Hablamos italiano en la clase?
    No, ...

11. ¿Hablan ruso los rusos?
    Sí, ...

12. ¿Dónde está la llave?
    ....

13. ¿Dónde están los estudiantes?
    ....

14. ¿Dónde está el paraguas?
    ....

15. ¿Hay flores en el parque?
    ....

EVERYDAY EXPRESSIONS

(for conversation and study)

Buenas noches; señora. *Good evening, madam.*
Good night, madam.
Gracias. *Thank you.*
De nada. *You are welcome. (Of nothing).*
Perdón. *Pardon me.*

Lesson 15

(*How to Express Future Action*)

The infinitive is the TO form: to swim, to buy, to sing, to dance, etc.

To form the infinitive, remove the O from the first person singular of the present (the I form) and add AR.

compro, *I buy*	comprar, *to buy*
hablo, *I speak*	hablar, *to speak*
estudio, *I study*	estudiar, *to study*
nado, *I swim*	nadar, *to swim*
trabajo, *I work*	trabajar, *to work*
deposito, *I deposit*	depositar, *to deposit*
estoy, *I am*	estar, *to be*

Notice that you remove OY from "estoy" before you add AR. "Estar" is an irregular verb because it doesn't follow the rules.

To express the future, put VOY A (I'm going to) or VA A (are you going to?) before any infinitive.

Voy a estudiar.
I'm going to study.

¿Va a estudiar?
Are you going to study?

Voy a trabajar.
I'm going to work.

¿Va a trabajar?
Are you going to work?

Voy a hablar.
I'm going to speak.

¿Va a hablar?
Are you going to speak?

Voy a comprar.
I'm going to buy.

¿Va a comprar?
Are you going to buy?

Voy a estar en casa.
I'm going to be at home.

¿Va a estar en casa?
Are you going to be at home?

Voy a nadar.
I'm going to swim.
(I'm going swimming.)

¿Va a nadar?
Are you going to swim?
(Are you going swimming?)

REMEMBER THESE WORDS

en casa, *at home*
con, *with*
esta tarde, *this afternoon*
esta noche, *tonight (this night)*
hay, *there is, there are, is there? are there?*

el sábado, *on Saturday*
mañana, *tomorrow*
¿dónde? *where?*
al cine, *to the movies*

Voy a trabajar, *I'm going to work*
Voy a depositar, *Im going to deposit*
Voy a comprar, *I'm going to buy*
Voy a estar, *I'm going to be*
Voy a nadar, *I'm going to swim (I'm going swimming)*

SPEAKING EXERCISE

1. Voy a trabajar mañana. *I'm going to work tomorrow.*
2. Voy a comprar un sombrero mañana. 
3. Voy a comprar café.
4. Voy a estudiar mucho.
5. Voy a trabajar el sábado.
6. Voy a estar en casa.
7. No voy a comprar un auto. 
8. Voy al cine esta noche.

CONVERSATION

1. ¿Va a estudiar esta tarde? *Are you going to study this afternoon?*
   Sí, voy a estudiar esta tarde.
2. ¿Va a estudiar español?
   Sí, voy a estudiar español.
3. ¿Va a estudiar italiano?
   No, no voy a estudiar italiano.

4. ¿Va a estudiar con Roberto?
Sí, voy a estudiar con Roberto.

5. ¿Va a trabajar el sábado?
Sí, voy a trabajar el sábado.

6. ¿Va a trabajar en el banco?
No, no voy a trabajar en el banco.

7. ¿Va a trabajar en casa?
Sí, voy a trabajar en casa.

8. ¿Va a trabajar con Roberto?
Sí, voy a trabajar con Roberto.

9. ¿Va a comprar un sombrero  esta tarde?
Sí, voy a comprar un sombrero esta tarde.

10. ¿Va a comprar peras  en el mercado?
Sí, voy a comprar peras en el mercado.

11. ¿Va a comprar una casa?
No, no voy a comprar una casa.

12. ¿Va a comprar gasolina en el banco?
No, no voy a comprar gasolina en el banco. No hay gasolina en el banco.

13. ¿Va a depositar el dinero  en el banco?
Sí, voy a depositar el dinero en el banco.

14. ¿Va a comprar un auto?
No, no voy a comprar un auto.

15. ¿Va a nadar  mañana?
Sí, voy a nadar mañana.

16. ¿Dónde va a nadar?
Voy a nadar en la piscina.

17. ¿Va a estar en casa esta tarde? *Are you going to be at home this afternoon?*
    Sí, voy a estar en casa esta tarde.

18. ¿Va a estar en casa esta noche?
    No, no voy a estar en casa esta noche. Esta noche voy al cine.

19. ¿Va a estar en la clase mañana?
    Sí, voy a estar en la clase mañana.

WORD BUILDER

Many words that end in RY in English end in RIO in Spanish.

RY Words

el canario, extraordinario, laboratorio, literario, aniversario, necesario, primario, ordinario, rosario, voluntario, solitario, veterinario, temporario, contrario, el diccionario, el secretario *(a woman secretary is "una secretaria")*

EXERCISES

Change the following statements into questions in the YOU form: (Follow the example below.)

1. Voy al cine esta noche.
   Example: ¿Va al cine esta noche?

2. Voy a nadar.

   ____

3. Voy al banco.

   ____

4. Voy a comprar un sombrero.

   ____

5. Voy a estudiar esta tarde.

   ____

6. Voy a trabajar mañana.

____

7. Voy a nadar mañana.

____

8. Voy a comprar café.

____

9. Voy a estar en casa.

____

Answer the following questions:

1. ¿Va a trabajar esta tarde?
Sí, ...

2. ¿Va a comprar un auto?
No, ...

3. ¿Va a nadar mañana?
Sí, ...

4. ¿Va a estudiar en casa?
Sí, ...

5. ¿Va al banco esta tarde?
Sí, ...

6. ¿Va a comprar una blusa?
No, ...

7. ¿Va a nadar esta tarde?
Sí, ...

8. ¿Dónde va a nadar?
....

9. ¿Dónde va a estudiar?
....

10. ¿Va a comprar gasolina?
No, ...

11. ¿Va a estar en casa esta noche?
Sí, ...

12. ¿Hay café?
Sí, ...

13. ¿Dónde está Roberto?
....

14. ¿Dónde está el paraguas?
....

15. ¿Habla usted español?
....

NOTE: In Spanish you never say "on Saturday," but "the Saturday" (el sábado).

It is a good idea to practice verbs in the four forms of the future. Example:

TRABAJAR

Voy a trabajar; *I'm going to work.*
Va a trabajar; *You are going to work.*
Vamos a trabajar; *We are going to work.*
Van a trabajar; *They are going to work.*

Give the four forms of:

estar	hablar	nadar
comprar	depositar	estudiar

THE INFINITIVE

The TO form is called the infinitive because it is infinite; it goes on forever with no person or time attached to it.

Examples: trabajar, *to work*
comprar, *to buy*
entrar, *to go in, to come in, to enter*

READING EXERCISE

Vocabulary: 1. hay, *there is, there are* 2. millones, *millions* 3. estrellas, *stars* 4. en el cielo, *in the sky* 5. son, *are* 6. una estrella, *a star* 7. para usted, *for you* 8. para mí, *for me* 9. para todas las personas del mundo, *for all the people of the world* 10. tienen, *they have* 11. planetas, *planets* 12. un satélite, *a satellite* 13. satélites, *satellites* 14. la luna, *the moon* 15. un satélite de la tierra, *a satellite of the earth* 16. los astronautas, *the astronauts* 17. van a explorar, *they are going to explore* 18. muchos planetas, *many planets* 19. van a usar, *they are going to use* 20. muchos instrumentos científicos, *many scientific instruments* 21. en la luna, *on the moon* 22. Me gusta la luna, *I like the moon* 23. un día, *one day* 24. voy a visitar, *I'm going to visit*

EL CIELO

Hay millones y millones de estrellas en el cielo. Las estrellas son lindas. Hay una estrella para usted y una estrella para mí. Hay estrellas para todas las personas del mundo.

Las estrellas tienen planetas. En el cielo hay estrellas, planetas, y satélites. La luna es un satélite de la tierra. Los astronautas van a explorar muchos planetas y satélites. Los astronautas van a explorar la luna. Van a usar muchos instrumentos científicos en la luna.

La luna es linda. Me gusta la luna. Un día voy a visitar la luna.

Lesson 16

(*ER and IR Infinitives*)

Not all infinitives (the TO form) end in AR. Some end in ER or IR.* Examples: vender, *to sell;* comprender, *to understand;* decidir, *to decide;* escribir, *to write.*

Read aloud:

Voy a leer.
I'm going to read.

Voy a escribir.
I'm going to write.

Voy a vender la casa.
I'm going to sell the house.

¿Va a leer?
Are you going to read?

¿Va a escribir?
Are you going to write?

¿Va a vender la casa?
Are you going to sell the house?

REMEMBER THESE WORDS

un poema, *a poem*
una novela, *a novel*
la lección, *the lesson*
una carta, *a letter*
la bicicleta, *the bicycle*
el sábado, *on Saturday*
las frases, *the sentences*
el libro, *the book*
interesante, *interesting*
un libro interesante, *an interesting book*

Voy a vender, *I'm going to sell.*
Voy a escribir, *I'm going to write.*
Voy a leer, *I'm going to read.*
Voy a estar en casa, *I'm going to be at home.*

SPEAKING EXERCISE

1. Voy a leer las frases. *I'm going to read the sentences.*
2. Voy a leer un libro interesante.
3. Voy a leer la lección.

---

*ER verbs are also known as verbs of the second conjugation.
IR verbs are known as verbs of the third conjugation.

4. Voy a escribir una carta. 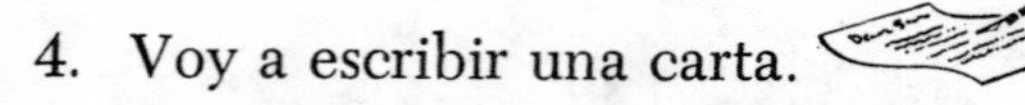
5. Voy a escribir un poema.
6. Voy a escribir las frases.
7. No voy a vender la bicicleta. 
8. No voy a vender el auto.
9. No voy a vender la casa. 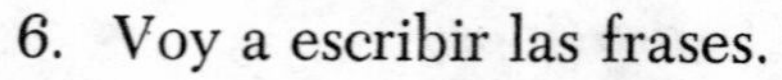
10. Voy a estar en casa el sábado.

CONVERSATION

1. ¿Va a vender el auto? *Are you going to sell the car?*
   No, no voy a vender el auto. *No, I'm not going to sell the car.*
2. ¿Va a vender la casa?
   No, no voy a vender la casa. 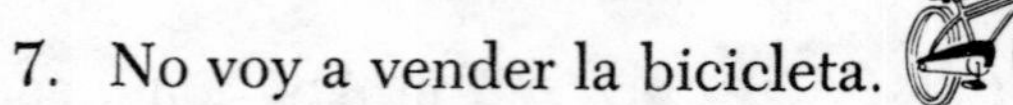
3. ¿Va a vender el rancho?
   No, no voy a vender el rancho.
4. ¿Va a vender rosas 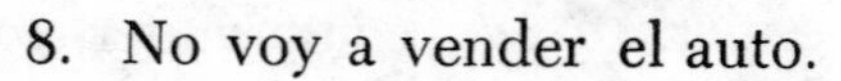 en el parque?
   No, eso es ridículo. No voy a vender rosas en el parque.
5. ¿Va a vender la bicicleta?
   No, no voy a vender la bicicleta. 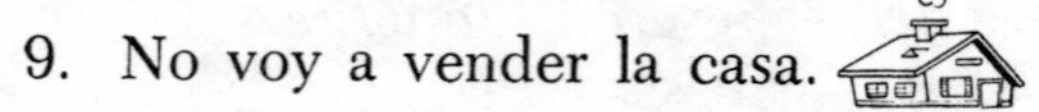
6. ¿Va a escribir una carta? *Are you going to write a letter?*
   Sí, voy a escribir una carta esta tarde.
7. ¿Va a escribir una carta en la clase?
   No, eso es ridículo. No voy a escribir una carta en la clase.
8. ¿Va a escribir un libro?
   No, no voy a escribir un libro.

9. ¿Va a escribir frases en la clase?
Sí, voy a escribir frases en la clase.

10. ¿Va a escribir un poema?
Sí, voy a escribir un poema.

11. ¿Va a escribir una novela?
No, no voy a escribir una novela.

12. ¿Va a leer las frases? *Are you going to read the sentences?*
Sí, voy a leer las frases.

13. ¿Va a leer las frases en la clase?
Sí, voy a leer las frases en la clase.

14. ¿Va a leer una novela esta noche?
Sí, voy a leer una novela esta noche.

15. ¿Va a leer un libro  interesante esta noche?
Sí, voy a leer un libro interesante esta noche.

16. ¿Va a leer la lección?
Sí, voy a leer la lección.

17. ¿Va a estudiar  la lección?

Sí, voy a estudiar la lección.

18. ¿Va a estar en casa esta noche?
Sí, voy a estar en casa esta noche.

19. ¿Va a estar en casa el sábado?
Sí, voy a estar en casa el sábado.

WORD BUILDER

Many words that end in EM or AM in English end in EMA or AMA in Spanish. IMPORTANT: These words are masculine, although they end in A. They are exceptions to the rule.

EM, AM Words

el poema, el problema, el programa, el telegrama, el cablegrama, el emblema

Some of these MA words are like English words: el diploma, el drama, el panorama

EXERCISES

Change the following statements into the WE form (first person plural):

1. Voy a leer la lección.
   Example: Vamos a leer la lección.
2. Voy a escribir las frases.

   ____
3. Voy a vender la casa.

   ____
4. Voy a leer la novela.

   ____
5. Voy a estar en casa el sábado.

   ____
6. Voy al cine esta noche.

   ____
7. Voy a la fiesta.

   ____
8. Voy a trabajar mañana.

   ____
9. Voy a nadar mañana.

   ____

10. No voy a vender el auto.

____

11. Voy a comprar una bicicleta.

____

Answer the following questions:

1. ¿Va al cine esta noche?
Sí, ...

2. ¿Va a leer las frases en la clase?
Sí, ...

3. ¿Va a hablar español en la clase?
Sí, ...

4. ¿Va a escribir una carta?
Sí, ...

5. ¿Va a estudiar mucho?
Sí, ...

6. ¿Va a comprar un avión?
No, ...

7. ¿Va a la fiesta mañana?
Sí, ...

8. ¿Va a escribir un poema?
Sí, ...

9. ¿Va al parque esta tarde?
No, ...

10. ¿Va a escribir un libro?
No, ...

11. ¿Va a comprar una bicicleta?
No, ...

12. ¿Va a estar en casa el sábado?
Sí, ...

13. ¿Va a escribir una carta en la clase?
No, ...

14. ¿Va a leer un libro interesante?
Sí, ...

VERB BUILDER

Add IR to the following verbs:

to resist, resistir
to insist, insistir
to persist, persistir
to consist, consistir
to exist, existir
to permit, permitir

Remove the final E and add IR:

to decide, decidir
to describe, describir
to divide, dividir
to persuade, persuadir
to evade, evadir

EVERYDAY EXPRESSIONS
(for conversation and study)

Está ocupado. *He is busy.* Está ocupada. *She is busy.*
Está cansado. *He is tired.* Está cansada. *She is tired.*
Está listo. *He is ready.* Está lista. *She is ready.*
¿Está listo? *Are you ready? (When you ask a man).*
¿Está lista? *Are you ready? (When you ask a woman).*
¿Están listos? *Are you ready? (When you ask men and women or boys and girls).*

Lesson 17

(*Review Lesson*)

Review Lessons 9 to 16 before you begin this lesson.

REMEMBER THESE WORDS

pero, *but*
pero hablo, *but I speak*
¿dónde? *where?*
¿dónde está? *where is?*
la lección, *the lesson*
en casa, *at home*

esta noche, *tonight*
el sábado, *on Saturday*
bien, *well*
muy bien, *very well*
clase de español, *Spanish class (class of Spanish)*

SPEAKING EXERCISE

1. No hay café. *There isn't any coffee.*
2. No hay sopa. 
3. No hay té.
4. No hay chocolate. 
5. Hay flores en el parque.
6. Hay palomas en el parque.
7. ¿Dónde está Roberto?
8. ¿Dónde está mi sombrero?
9. ¿Dónde está el paraguas?
10. No sé.
11. Los estudiantes hablan español.
12. Estudiamos español en la clase.

13. ¿Habla usted español? Sí, un poco.

14. No hablamos italiano en la clase.

15. Los rusos hablan ruso.

16. La crema está en la mesa.

17. Voy al cine mañana.

18. ¿Dónde está la llave?

19. Voy a trabajar el sábado.

20. Voy a leer un libro interesante.

21. Voy a escribir una carta.

22. Voy a comprar una bicicleta.

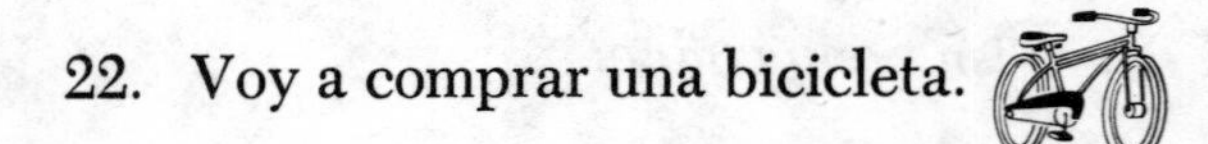

CONVERSATION

1. ¿Va a nadar mañana?
   Sí, voy a nadar mañana.

2. ¿Va a nadar en el mar?
   No, no voy a nadar en el mar.

3. ¿Dónde va a nadar?
   Voy a nadar en la piscina.

4. ¿Dónde está la piscina?
   La piscina está en el hotel.

5. ¿Es grande la piscina?
   Sí, la piscina es muy grande.

6. ¿Nada usted bien?
   Sí, nado bien.

7. ¿Va a la clase de español mañana?
   Sí, voy a la clase de español.

8. ¿Va al cine esta noche?
No, no voy al cine esta noche.

9. ¿Va a estudiar  esta noche?

Sí, voy a estudiar esta noche.

10. ¿Dónde va a estudiar?
Voy a estudiar en casa.

11. ¿Estudia usted mucho?
Sí, estudio mucho.

12. ¿Habla usted español?
Sí, hablo español.

13. ¿Habla bien?
No, no hablo muy bien, pero hablo.

14. ¿Va a leer la lección esta noche?
Sí, voy a leer la lección esta noche.

15. ¿Va a estar en casa esta noche?
Sí, voy a estar en casa esta noche.

16. ¿Dónde está Roberto?
Roberto está en casa.

17. ¿Dónde trabaja Roberto?
Roberto trabaja en el banco.

18. ¿Qué hay en el banco?

Hay mucho dinero  en el banco.

19. ¿Estudia usted en el banco?
No, eso es ridículo. No estudio en el banco. Estudio en casa.

EXERCISES

Ask where the illustrated objects are:

1. Example: ¿Dónde está el disco?

2. Example: ¿Dónde están los discos?

3.

4.

5.

6.

7.

8.

9.

10.

11.

12.

Give the proper verb form (estoy, está, están):

1. Example: Yo estoy en la clase.
2. Yo .... en casa.
3. Roberto .... en el parque.
4. El café .... en la mesa.
5. Los estudiantes .... en la clase.
6. El auto .... en el garaje.
7. Las bicicletas .... en el garaje.
8. Yo .... en la estación.
9. El doctor .... en el hospital.
10. La sopa .... en la mesa.
11. Las llaves .... en la mesa.
12. ¿Dónde .... el libro?
13. ¿Dónde .... los libros?
14. ¿Dónde .... mi sombrero?
15. ¿Dónde .... la llave?

Choose the proper verb form (voy, va, van):

1. Example: Yo voy a la fiesta.
2. Yo .... al cine.
3. Roberto .... a mi casa.
4. Los estudiantes .... a la fiesta.
5. Yo .... a estudiar esta noche.
6. El doctor .... al hospital.
7. La señorita .... a la fiesta.
8. Los doctores .... a trabajar.

9. Yo .... a escribir una carta.
10. Las señoritas .... a nadar.
11. El conductor .... a leer una novela.
12. El profesor .... a comprar un auto.

Answer the following questions:

1. ¿Va al cine esta noche?
   Sí, ...
2. ¿Va a la fiesta mañana?
   Sí, ...
3. ¿Dónde está la crema?
   ....
4. ¿Hay café?
   Sí, ...
5. ¿Habla usted español?
   Sí, ...
6. ¿Trabaja usted en la estación de gasolina?
   No, ...
7. ¿Va al rancho?
   No, ...
8. ¿Qué hay en el banco?
   ....
9. ¿Qué hay en la estación de gasolina?
   ....
10. ¿Va a escribir una carta?
    Sí, ...
11. ¿Va a escribir las frases?
    Sí, ...
12. ¿Va a vender la bicicleta?
    No, ...

13. ¿Dónde está el libro?

....

14. ¿Nada usted bien?
Sí, ...

READING EXERCISE

Vocabulary: 1. Roberto va a México. *Robert is going to Mexico.* 2. con, *with* 3. su familia, *his family* 4. va, *he is going* 5. en avión, *by plane* 6. va a tomar, *he is going to take* 7. en el aeropuerto, *at the airport* 8. que está, *that is* 9. en el centro de la ciudad, *in the center of the city* 10. en frente de, *in front of* 11. un parque muy bonito, *a very pretty park* 12. sus amigos, *his friends* 13. va a hablar, *he is going to speak* 14. diferentes tiendas, *different stores* 15. va a comprar, *he is going to buy* 16. muchas cosas, *many things* 17. muchos discos, *many records* 18. la música mexicana, *the Mexican music* 19. linda, *beautiful* 20. al cine, *to the movies* 21. al teatro, *to the theater* 22. a muchos restaurantes interesantes, *to many interesting restaurants* 23. también, *also* 24. va a visitar, *he is going to visit* 25. un rancho mexicano, *a Mexican ranch*

ROBERTO VA A MÉXICO

Roberto va a México con su familia. Va en avión. Va a tomar el avión en el aeropuerto.

En México va a tomar un taxi y va a un hotel excelente que está en el centro de la ciudad. El hotel está en frente de un parque muy bonito. Roberto va al parque con sus amigos. Va a hablar español muy bien.

Roberto va a diferentes tiendas y va a comprar muchas cosas. Va a comprar un sombrero mexicano, una guitarra, y muchos discos. La música mexicana es linda.

En México Roberto va al cine, al teatro, y a muchos restaurantes interesantes. También va a visitar un rancho mexicano.

Lesson 18

(*Present Tense of ER, IR Verbs, Singular*)

All regular verbs end in O in the first person of the present tense (the I form): hablo, *I speak;* vendo, *I sell;* vivo, *I live.*

ER and IR verbs end in E in the YOU form: vende, *you sell;* lee, *you read;* vive, *you live.*

REMEMBER THESE WORDS

solo, *alone (masc.)*
sola, *alone (fem.)*
con, *with*
mi familia, *my family*
el artículo, *the article*
el periódico, *the newspaper*
el periodista, *the journalist*
la clase de español, *the Spanish class*

muchas cartas, *many letters*
la farmacia, *the drug store*
las frases, *the sentences*
muy, *very*
Carlos, *Charles*
María, *Mary*
Alberto, *Albert*
¿quién? *who?*

escribo, *I write*
vendo, *I sell*
leo, *I read*
vivo, *I live*
recibo, *I receive*
comprendo, I *understand*

¿escribe usted? *do you write?*
¿vende usted? *do you sell?*
¿lee usted? *do you read?*
¿vive usted? *do you live?*
¿recibe usted? *do you receive?*
¿comprende usted? *do you understand?*

SPEAKING EXERCISE

1. ¿Dónde vive usted? *Where do you live?*
2. ¿Dónde vive Roberto?
3. Roberto vive en México.
4. Vivo con mi familia.
5. Escribo muchas cartas.

6. El periodista escribe artículos.
7. Leo el periódico.
8. Leo mucho.
9. Carlos vende medicinas.
10. Carlos no vende periódicos.
11. Recibo muchas cartas. 

CONVERSATION

1. ¿Dónde vive Alberto? *Where does Albert live?*
   Alberto vive en Colombia.
2. ¿Dónde vive María?
   María vive en San Francisco.
3. ¿Dónde vive Roberto?
   Roberto vive en México.
4. ¿Dónde vive usted?
   Vivo en *(name the city where you live).*
5. ¿Vive usted en el parque?
   No, eso es ridículo. No vivo en el parque. Es imposible.
6. ¿Vive usted en una casa?
   Sí, vivo en una casa.
7. ¿Vive usted solo (sola)?
   No, no vivo solo (sola). Vivo con mi familia.
8. ¿Estudia usted español?
   Sí, estudio español.
9. ¿Es interesante la clase de español?
   Sí, la clase de español es muy interesante.

10. ¿Escribe usted frases en la clase?
Sí, escribo frases en la clase.

11. ¿Escribe usted muchas cartas?
Sí, escribo muchas cartas.

12. ¿Recibe usted muchas cartas?
Sí, recibo muchas cartas.

13. ¿Escribe usted artículos?
No, no escribo artículos.

14. ¿Quién escribe artículos? *Who writes articles?*
El periodista escribe artículos.

15. ¿Hay artículos interesantes en el periódico?
Sí, hay artículos interesantes en el periódico.

16. ¿Lee usted el periódico?
Sí, leo el periódico.

17. ¿Lee usted libros interesantes?
Sí, leo libros interesantes.

18. ¿Lee mucho?
Sí, leo mucho.

19. ¿Lee mucho Carlos?
Sí, Carlos lee mucho.

20. ¿Dónde trabaja Carlos?
Carlos trabaja en la farmacia.

21. ¿Qué vende Carlos?
Carlos vende medicinas.

22. ¿Vende usted medicinas?
No, no vendo medicinas.

23. ¿Vende usted periódicos?
No, no vendo periódicos.

24. ¿Comprende usted la lección?
Sí, comprendo la lección.

WORD BUILDER

English words that end in TY become Spanish words when you change TY to DAD. These words are feminine.

TY Words

la prosperidad, la universidad, la electricidad, la curiosidad, la personalidad, la posibilidad, la publicidad, la vitalidad, la capacidad, la dignidad, la humanidad, la moralidad, la nacionalidad, la eternidad, la comunidad, la actividad, la formalidad, la atrocidad, la hospitalidad, la sinceridad, la trinidad, la sociedad, la realidad, la variedad, la velocidad *(speed)*, la obscuridad *(darkness)*, la necesidad *(need)*, la ciudad *(city)*

EXERCISES

Answer the following questions:

1. ¿Habla usted español?
Sí, ...

2. ¿Lee mucho?
Sí, ...

3. ¿Comprende usted las frases?
Sí, ...

4. ¿Vive usted solo (sola)?
No, ...

5. ¿Va al cine esta noche?

....

6. ¿Va a vender la bicicleta?

....

7. ¿Recibe usted muchas cartas?

....

8. ¿Va a leer el periódico?

....

9. ¿Escribe usted muchas cartas?

....

10. ¿Dónde está el paraguas?

....

11. ¿Estudia usted mucho?

....

12. ¿Comprende usted la lección?

....

13. ¿Vive usted en San Francisco?

....

14. ¿Lee usted el periódico?

....

Change the following verbs into the YOU form:

1. vivo Example: vive
2. escribo ....
3. vendo ....
4. recibo ....
5. comprendo ....
6. leo ....

EVERYDAY EXPRESSIONS
(for conversation and study)

Está solo. *He's alone.* Está sola. *She's alone.*
Está enfermo. *He's sick.* Está enferma. *She's sick.*
Está contento. *He's happy.* Está contenta. *She's happy.*
Está triste. *He's sad. She's sad.*
Está mejor. *He's better. She's better.*
Está peor. *He's worse. She's worse.*
Está bien. *He's well. She's well. It's all right. It's O.K.*
¿Está bien? *Is he well? Is she well? Is it all right? Is it O.K.?*

Lesson 19

(*Present Tense—Plural of ER, IR Verbs*)

The endings of the present tense of ER verbs:

O	EMOS
E	EN

Example:

Remove the ER and add the above endings.

VENDER

I sell	VENDO	VENDEMOS	*we sell*
you sell *he sells* *she sells*	VENDE	VENDEN	*they sell*

The endings of the present tense of IR verbs.

O	IMOS
E	EN

Example:

Remove the IR and add the above endings.

VIVIR

I live	VIVO	VIVIMOS	*we live*
you live *he lives* *she lives*	VIVE	VIVEN	*they live*

REMEMBER THESE WORDS

muchas frases, *many sentences*
interesante, *interesting*
la persona, *the person*
los cubanos, *Cubans*
la lección, *the lesson*
la novela, *the novel*
el periódico, *the newspaper*
el periodista, *the journalist*

comprendemos, *we understand, do we understand?*
comprenden, *they understand, do they understand?*
leemos, *we read, do we read?*
leen, *they read, do they read?*
escribimos, *we write, do we write?*
escriben, *they write, do they write?*
vivimos, *we live, do we live?*
viven, *they live, do they live?*

SPEAKING EXERCISE

1. ¿Escriben frases los estudiantes? *Do the students write sentences?*
2. ¿Escriben artículos los estudiantes?
3. ¿Escriben novelas los estudiantes?
4. Los italianos viven en Italia.
5. Los cubanos viven en Cuba.
6. Leemos el libro en la clase.
7. No leemos novelas en la clase.
8. No leemos el periódico en la clase.
9. Escribimos muchas frases en la clase.
10. Los periodistas escriben artículos.
11. Los estudiantes comprenden la lección.

CONVERSATION

1. ¿Dónde vive usted?
   Vivo en .... *(Name the city where you live).*

2. ¿Dónde viven los italianos?
Los italianos viven en Italia.

3. ¿Dónde viven los cubanos?
Los cubanos viven en Cuba.

4. ¿Dónde viven los mexicanos?
Los mexicanos viven en México.

5. ¿Leemos muchas frases en la clase? *Do we read many sentences in the class?*
Sí, leemos muchas frases en la clase.

6. ¿Leemos novelas en la clase?
No, no leemos novelas en la clase.

7. ¿Leemos el libro  en la clase?
Sí, leemos el libro en la clase.

8. ¿Es interesante el libro?
Sí, el libro es muy interesante.

9. ¿Leen mucho las personas ignorantes?
No, las personas ignorantes no leen mucho.

10. ¿Hay personas ignorantes en la clase?
No, no hay personas ignorantes en la clase.

11. ¿Hay personas inteligentes en la clase?
Sí, hay personas inteligentes en la clase.

12. ¿Comprenden la lección los estudiantes?
Sí, los estudiantes comprenden la lección.

13. ¿Escriben frases los estudiantes?
Sí, los estudiantes escriben frases.

14. ¿Escribimos muchas frases en la clase?
Sí, escribimos muchas frases en la clase.

15. ¿Escribimos cartas  en la clase?
No, no escribimos cartas en la clase.

16. ¿Escribimos artículos en la clase?
No, no escribimos artículos en la clase.

17. ¿Escriben artículos los periodistas?
Sí, los periodistas escriben artículos.

18. ¿Leemos el periódico en la clase?
No, no leemos el periódico en la clase.

WORD BUILDER

English words that end in IST become Spanish words when you change the IST to ISTA. It is very important to remember that these words are masculine (when they refer to men) although they end in A.

IST Words

el dentista, el pianista, el artista, el optimista, el pesimista, el oculista, el capitalista, el economista, el idealista, el novelista, el socialista, el turista, el metodista *(the Methodist)*, el organista, el guitarrista

NOTE: The word *"list"* is a feminine word: la lista.

EXERCISES

Change the following verbs into the THEY form (third person plural):

1. vende Example: venden
2. comprende ....
3. vive ....
4. escribe ....
5. lee ....
6. recibe ....
7. comprende ....
8. habla ....
9. compra ....
10. nada ....
11. trabaja ....

Answer the following questions:

1. ¿Escribimos artículos en la clase?
   Example: No, no escribimos artículos en la clase.
2. ¿Escribimos poemas en la clase?
   No, ...
3. ¿Escribimos novelas en la clase?
   No, ...
4. ¿Escribimos frases en la clase?
   Sí, ...
5. ¿Leemos el libro  en la clase?
   Sí, ...
6. ¿Comprendemos la lección?
   Sí, ...
7. ¿Leemos el periódico en la clase?
   No, ...
8. ¿Hablamos español en la clase?
   Sí, ...
9. ¿Hablamos italiano en la clase?
   No, ...
10. ¿Leemos muchas frases en la clase?
    Sí, ...
11. ¿Estudiamos español en la clase?
    Sí, ...
12. ¿Nadamos en la clase?
    No, ...

Lesson 20

(*Tengo, Tiene*)

TENGO, *I have*

TIENE, *you have, have you?*
he has, has he?
she has, has she?
it has, has it?

This is an irregular verb because it doesn't follow the rules.

REMEMBER THESE WORDS

un gato, *a cat*
un perro, *a dog*
una guitarra, *a guitar*
un toro, *a bull*
libros interesantes, *interesting books*
muchos libros, *many books*
muchos discos, *many records*
el canario, *the canary*
lindo, *lovely (masc.)*
un jardín, *a garden*
un jardín lindo, *a lovely garden*
una terraza, *a terrace*
una terraza linda, *a lovely terrace*
el pájaro, *the bird*
valiente, *brave*

tengo, *I have*
no tengo, *I haven't*
¿tiene usted? *have you?*
no sé, *I don't know*

SPEAKING EXERCISE

1. Tengo muchos libros. *I have many books.*
2. Tengo un gato.
3. Tengo la llave.

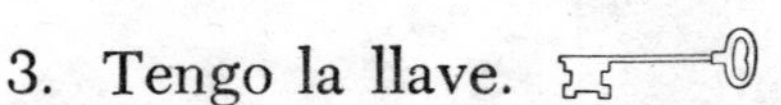

4. Tengo una bicicleta.

5. Tengo un paraguas. 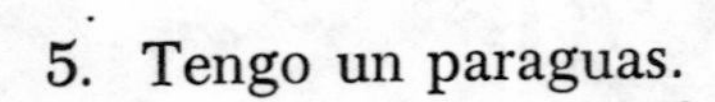

6. Tengo un perro. 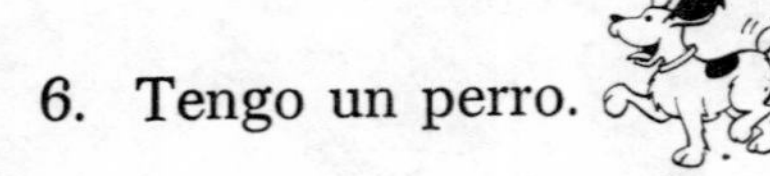

7. No tengo un tigre. 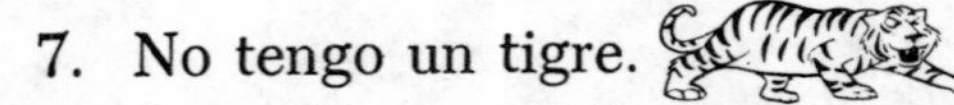

8. No tengo un toro. 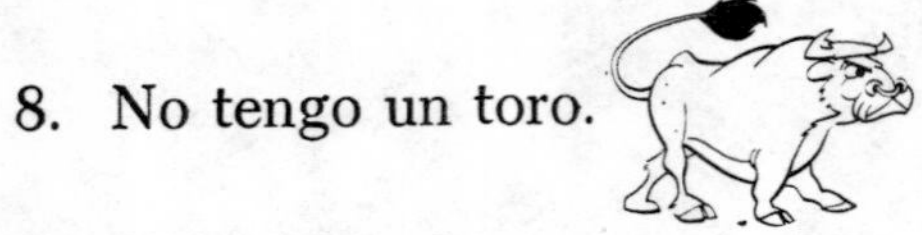

9. Tengo un piano.

10. No tengo una guitarra.

11. ¿Tiene usted un perro? *Have you a dog?*

12. ¿Tiene usted la llave?

13. ¿Tiene usted un gato?

14. El hotel tiene una terraza linda.
The hotel has a lovely terrace.

15. El hotel tiene una piscina grande.

16. El hotel tiene un jardín lindo.

17. Roberto tiene una bicicleta.

18. El doctor tiene un auto.

19. Tengo un canario.

20. El canario es un pájaro.

21. El toro  es valiente.

CONVERSATION

1. ¿Tiene usted muchos discos mexicanos?
   Have you many Mexican records?
   Sí, tengo muchos discos mexicanos.
2. ¿Tiene usted muchos libros?
   Sí, tengo muchos libros.
3. ¿Tiene usted libros interesantes?
   Sí, tengo libros interesantes.
4. ¿Tiene usted un gato?
   Sí, tengo un gato.
5. ¿Tiene usted un toro en casa?
   No, eso es ridículo. No tengo un toro en casa.
6. ¿Tiene usted la llave?
   Sí, tengo la llave.
7. ¿Tiene usted un perro?
   Sí, tengo un perro.
8. ¿Tiene usted un piano?
   No, no tengo un piano.
9. ¿Tiene usted una guitarra?
   No, no tengo una guitarra.
10. ¿Tiene usted un paraguas?
    Sí, tengo un paraguas.

11. ¿Dónde está su paraguas?
    No sé.
12. ¿Tiene usted una bicicleta?
    No, no tengo una bicicleta.

13. ¿Tiene usted un canario?
Sí, tengo un canario lindo.

14. ¿Qué es el canario?
El canario es un pájaro.

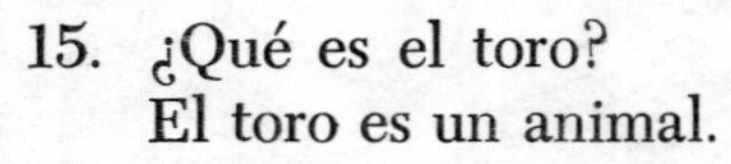

15. ¿Qué es el toro?
El toro es un animal.

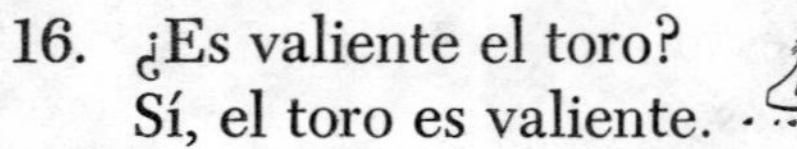

16. ¿Es valiente el toro?
Sí, el toro es valiente.

WORD BUILDER

Many English words that end in CT become Spanish words when you add an O to them.

CT Words

el insecto, el defecto, el producto, el acto, correcto, exacto, directo, indirecto, el intelecto, perfecto, el contacto, el extracto, el efecto, el aspecto, el arquitecto *(architect)*

EXERCISES

Change the following statements to questions in the YOU (usted) form:

1. Tengo un gato.

____

2. Tengo una bicicleta.

____

3. Tengo muchos discos.

____

4. Tengo una guitarra.

____

5. Tengo la llave.

6. Tengo un perro.

7. Tengo un piano.

8. Tengo el paraguas.

9. Tengo un auto.

10. Tengo un sombrero blanco.

11. Tengo un fonógrafo.

12. Tengo muchos libros.

Answer the following questions:

1. ¿Dónde está el paraguas?

2. ¿Dónde está Roberto?

3. ¿Tiene usted un toro en casa?

---

4. ¿Tiene usted un perro?

---

5. ¿Dónde está el perro?

---

6. ¿Tiene usted un elefante?

---

7. ¿Tiene usted un fonógrafo?

---

8. ¿Tiene usted un tigre?

---

9. ¿Tiene usted un gato?

---

10. ¿Tiene usted un rancho?

---

11. ¿Tiene usted la llave?

---

12. ¿Tiene usted el libro?

---

13. ¿Tiene usted un canario?

---

14. ¿Qué es el canario?

TENEMOS, *we have, have we?*
TIENEN, *you (plural) have, have you (pl.)?*
they have, have they?

NOTE: The above plural verbs will be covered in a later lesson.

CREER, *to believe, to think (opinion)*

(I think)	creo	creemos	*(we think)*
(you think)	cree	creen	*(they think)*

EVERYDAY EXPRESSIONS
(for conversation and study)

Creo que es interesante. *I think that it's interesting.*
¿Qué cree? *What do you think?*
Creo que sí. *I think so. (I think that yes).*
Creo que no. *I don't think so. (I think that not.)*
Por favor. *Please.*

READING EXERCISE

Vocabulary: 1. vive, *he lives* 2. con su familia, *with his family* 3. es, *he is* 4. simpático, *charming* 5. estudia, *he studies* 6. inglés, *English* 7. en, *in* 8. la escuela, *the school* 9. habla, *he speaks* 10. escribe, *he writes* 11. composiciones, *compositions* 12. para, *for* 13. la clase de inglés, *the English class* 14. en casa, *at home* 15. con, *with* 16. su, *his* 17. todos, *everybody* 18. el papá de Alberto, *Albert's father* 19. trabaja, *he works, she works* 20. un banco, *a bank* 21. prepara, *she prepares* 22. la cena, *dinner* 23. todas las noches, *every night* 24. platos deliciosos, *delicious dishes*

25. para la familia, *for the family* 26. tiene, *has, he has, she has* 27. una colección, *a collection* 28. discos americanos, *American records* 29. una colección de discos americanos, *a collection of American records* 30. le gusta, *he likes* 31. la música americana, *American music* 32. muchos libros americanos, *many American books* 33. también, *also* 34. una bicicleta, *a bicycle* 35. todos los días, *every day*. 36. va, *goes* 37. al despacho, *to the office* 38. en, *in, on* 39. su auto, *his car* 40. a la escuela, *to school* 41. en su bicicleta, *on his bicycle* 42. la mamá de Alberto, *Albert's mother* 43. un jardín lindo, *a lovely garden* 44. un canario, *a canary* 45. canta, *sings* 46. todo el día, *all day, the whole day* 47. hay, *there are* 48. flores lindas, *lovely flowers* 49. muchas plantas tropicales, *many tropical flowers*

ALBERTO Y SU FAMILIA

Alberto vive en Caracas con su familia. Es muy simpático y muy inteligente. Estudia inglés en la escuela y habla muy bien. Escribe composiciones para la clase de inglés.

En casa, Alberto habla español con su mamá y su papá. En Caracas todos hablan español.

El papá de Alberto trabaja en un banco y su mamá trabaja en casa. Su mamá prepara la cena todas las noches. Prepara platos deliciosos para la familia.

Alberto tiene una colección de discos americanos. Le gusta la música americana. Tiene muchos libros americanos también.

El papá de Alberto tiene un auto. Alberto tiene una bicicleta. Todos los días, el papá de Alberto va al despacho en su auto. Alberto va a la escuela en su bicicleta.

La mamá de Alberto tiene un jardín lindo. Tiene un canario en el jardín. El canario canta todo el día. En el jardín hay flores lindas y muchas plantas tropicales.

Lesson 21

(*Present of Tomar, Tocar, Cantar*)

tocar, *to play (an instrument)*

I play	toco	tocamos	*we play*
you play	toca	tocan	*they play*

cantar, *to sing*

I sing	canto	cantamos	*we sing*
you sing	canta	cantan	*they sing*

tomar, *to take*

I take	tomo	tomamos	*we take*
you take	toma	toman	*they take*

In English you say "I have coffee," "I have soup." In Spanish you say "I take coffee" *(Tomo café)*, "I take soup." *(Tomo sopa.)* The verb TOMAR *(to take)* is used to express eating and drinking.

REMEMBER THESE WORDS

la luz, *the light*
la luna, *the moon*
a la luz de la luna, *by the light of the moon*
bonito, *pretty*
lindo, *lovely*
simpático, *charming*
el rosbif, *roastbeef*
el bistec, *beefsteak*
para, *for*
muy bien, *very well*
el pianista, *the pianist*
el guitarrista, *the guitarrist*
las canciones, *the songs*
canciones mexicanas, *Mexican songs*
la cena, *supper (evening meal)*
generalmente, *generally*
absolutamente, *absolutely*
o, *or*
también, *too, also*

SPEAKING EXERCISE

1. El pianista toca el piano. *The pianist plays the piano.*
2. El guitarrista toca la guitarra.
3. Roberto toca la guitarra.
4. María toca el piano.
5. No cantamos en la clase.
6. María canta muy bien.
7. Los estudiantes no cantan en la clase.
8. Los estudiantes hablan español en la clase.
9. María canta canciones lindas.
10. Roberto canta también.
11. Roberto es muy simpático.
12. María es muy simpática.
13. Tomo sopa para la cena.
14. Tomo rosbif para la cena.
15. Tomo bistec para la cena.
16. Tomo la cena en casa.

CONVERSATION

1. ¿Canta usted a la luz de la luna? *Do you sing by the light of the moon?*
   No, no canto a la luz de la luna.
2. ¿Es bonita la luna?
   Sí, la luna es linda.
3. ¿Canta usted canciones mexicanas?
   Sí, canto canciones mexicanas.

4. ¿Canta el toro?
No, eso es absolutamente ridículo. El toro no canta.

5. ¿Canta Roberto?
Sí, Roberto canta muy bien.

6. ¿Canta María?
Sí, María canta también.

7. ¿Es simpático Roberto?
Sí, Roberto es muy simpático.

8. ¿Es simpática María?
Sí, María es muy simpática también.

9. ¿Toca usted la guitarra?
Sí, toco la guitarra.

10. ¿Toca usted el piano?
Sí, toco el piano.

11. ¿Toca la guitarra Roberto?
Sí, Roberto toca la guitarra.

12. ¿Toca el piano María?
Sí, María toca el piano muy bien.

13. ¿Toma usted la cena en la clase?
No, eso es absolutamente ridículo. No tomo la cena en la clase. Tomo la cena en casa o en un restaurante. Generalmente tomo la cena en casa.

14. ¿Toma usted sopa para la cena?
Sí, tomo sopa para la cena.

15. ¿Toma usted rosbif para la cena?
Sí, tomo rosbif para la cena.

16. ¿Toma usted café para la cena?
Sí, tomo café para la cena.

17. ¿Toma usted bistec para la cena?
Sí, tomo bistec para la cena.

18. ¿Toma usted la cena en la noche?
Sí, tomo la cena en la noche.

EXERCISES

Give the singular feminine and the plural masculine and feminine forms of the following adjectives:

	Sing. Feminine	Pl. Masculine	Pl. Feminine
1. blanco Example:	blanca	blancos	blancas
2. bonito	....	....	....
3. lindo	....	....	....
4. simpático	....	....	....
5. chiquito	....	....	....
6. delicioso	....	....	....
7. solo	....	....	....
8. cubano	....	....	....
9. mexicano	....	....	....

Give the WE form (first person plural) of the following verbs:

1. trabaja Example: trabajamos
2. habla ....
3. estudia ....
4. toma ....

5. nada ....
6. progresa ....
7. compra ....
8. toca ....
9. prepara ....
10. está ....
11. canta ....
12. va ....

Answer these questions:

1. ¿Toma usted sopa para la cena?
   Sí, ...
2. ¿Toma usted rosbif?
   Sí, ...
3. ¿Toma usted la cena en casa?
   Sí, ...
4. ¿Habla usted español en la clase?
   Sí, ...
5. ¿Toca usted el piano?

   ....

6. ¿Toca usted la guitarra?

   ....

7. ¿Canta usted a la luz de la luna?

   ....

8. ¿Canta el toro?

....

9. ¿Canta el perro?

....

10. ¿Es simpático Roberto?

....

11. ¿Canta el gato?

....

12. ¿Toma usted sopa para la cena?

....

13. ¿Es bonita la luna?

....

14. ¿Es delicioso el rosbif?

....

15. ¿Tiene usted un perro?

....

ADVERBS

How to form adverbs: add MENTE to adjectives.

Examples:

posible, *possible*	posiblemente, *possibly*
probable, *probable*	probablemente, *probably*
general, *general*	generalmente, *generally*
final, *final*	finalmente, *finally*
natural, *natural*	naturalmente, *naturally*

However, when an adjective ends in O, change the O to A and then add MENTE.

absoluto, *absolute*	absolutamente, *absolutely*
completo, *complete*	completamente, *completely*

NOTE: Remember that the YOU form of every verb actually means eight things.

Example:

TOMA, *you take, do you take?*
he takes, does he take?
she takes, does she take?
it takes, does it take?

Lesson 22

(*Reading Exercise*)

REMEMBER THESE WORDS

plantas tropicales, *tropical plants*
la montaña, *the mountain*
las montañas altas, *the high mountains*
el país, *the country (nation)*
los hombres, *the men*
romántico, *romantic*
para, *for*
moderno, *modern*
el torero, *the bullfighter*
la serenata, *the serenade*
el valle, *the valley*
el entusiasmo, *the enthusiasm*
en las fiestas, *at parties*
hay, *there is, there are*
is there? are there?

Las señoritas bailan. *The young ladies dance.*
Los hombres fuman cigarros. *The men smoke cigarettes.*
(Fumar, *to smoke*, and bailar, *to dance*, are regular AR verbs.)

Read aloud:

1. Los hombres tocan sus guitarras. *The men play their guitars.*
2. Hablan con mucho entusiasmo. *They talk with much enthusiasm.*
3. México es un país muy interesante. *Mexico is a very interesting country.*
4. Hay montañas altas y valles inmensos. *There are high mountains and immense valleys.*
5. Toman café. *They have (take) coffee.*
6. Los hombres cantan serenatas. *The men sing serenades.*
7. Los mexicanos son muy simpáticos. *Mexicans are very charming.*
8. Cantan canciones románticas. *They sing romantic songs.*

9. Los toreros son valientes. *The bullfighters are brave.*
10. Los toros son valientes también. *The bulls are brave too.*

READING EXERCISE

Read this exercise several times until you can read it easily and at a good speed. Try to read without hesitation:

México

México es un país interesante.

En México hay montañas altas y valles inmensos.

Los mexicanos son muy simpáticos. En las fiestas hablan con mucho entusiasmo, fuman cigarros y toman café. El café mexicano es delicioso.

Un mexicano simpático

Las señoritas bailan

Los hombres tocan sus guitarras y cantan canciones románticas. Las señoritas cantan y bailan.

Los mexicanos son muy románticos. Los hombres cantan serenatas para las señoritas.

Una serenata a la luz de la luna

Los toreros mexicanos son valientes. Los toros son valientes también.

Un torero valiente

Los hoteles mexicanos son modernos. Muchos hoteles tienen terrazas grandes y piscinas. Los turistas nadan en las piscinas y bailan en las terrazas.

Generalmente hay guitarristas en los hoteles.

Los guitarristas tocan las guitarras y cantan canciones para los turistas.

Un guitarrista

En México hay muchas casas bonitas. Unas casas tienen jardines. En los jardines hay pájaros lindos y plantas tropicales.

Una planta tropical

Un pájaro lindo

EXERCISES

Give the plural form of the following words:

1. la planta tropical Example: las plantas tropicales
2. el país Example: los países
3. la montaña alta ....
4. el valle inmenso ....

5. el hombre simpático ....
6. la señorita simpática ....
7. la canción linda ....
8. el torero valiente ....
9. el pájaro ....
10. la fiesta ....
11. la serenata ....
12. el toro valiente ....
13. el hotel moderno ....
14. la guitarra ....
15. el guitarrista ....
16. el pianista ....
17. el gato ....
18. el perro ....
19. el jardín ....
20. la paloma blanca ....

Give the THEY form (third person plural) of the following verbs:

1. tiene Example: tienen
2. trabaja Example: trabajan
3. habla ....
4. estudia ....
5. canta ....
6. prepara ....
7. toca ....

8. está ....
9. vive ....
10. progresa ....
11. escribe ....
12. va ....
13. recibe ....
14. toma ....
15. fuma ....
16. baila ....
17. vende ....
18. lee ....
19. nada ....
20. comprende ....

Answer the following questions.
Practice saying these sentences at top speed:

1. ¿Hay montañas altas en México?
   Example: Sí, hay montañas altas en México.
2. ¿Hay valles inmensos en México?
   Sí, ...
3. ¿Hay jardines bonitos?
   Sí, ...
4. ¿Hay toreros valientes en México?
   Sí, ...
5. ¿Hay señoritas bonitas en México?
   Sí, ...
6. ¿Hay montañas altas en Venezuela?
   Sí, ...

7. ¿Hay señoritas bonitas en Venezuela?
Sí, ...

8. ¿Hay hoteles modernos en Venezuela?
Sí, ...

9. ¿Hay jardines bonitos en Venezuela?
Sí, ...

10. ¿Hay plantas tropicales en Venezuela?
Sí, ...

11. ¿Hay pájaros bonitos en Venezuela?
Sí, ...

12. ¿Hay café bueno en Colombia?

Sí, ...

IMPORTANT

Before going on to the next lesson, review Lessons 18, 19, 20, 21 and 22 thoroughly. Repeat all the exercises in these lessons to see if you can do them without hesitation.

EVERYDAY EXPRESSIONS

(for conversation and study)

Me gusta. *I like it. I like . . . (It pleases me).*
Me gusta nadar. *I like to swim.*
Me gusta el pan. *I like bread.*
Me gusta el jamón. *I like ham.*
¿Le gusta? *Do you like it? Do you like . . .?*
¿Le gusta el jamón? *Do you like ham?* (Notice that in Spanish you use the article "el" before the word "jamón".

Lesson 23

(*Fui, Fue*)

FUI, *I went, did I go?*
FUE, *you went, did you go?*
he went, did he go?
she went, did she go?
it went, did it go?

Voy a la clase.
I'm going to the class.
Voy al cine.
I'm going to the movies.
Voy al parque.
I'm going to the park.
Voy a nadar.
I'm going to swim. (I'm going swimming.)

Fui a la clase.
I went to the class.
Fui al cine.
I went to the movies.
Fui al parque.
I went to the park.
Fui a nadar.
I went to swim (I went swimming.)

REMEMBER THESE WORDS

anoche, *last night*
con, *with*
esta tarde, *this afternoon*
solo, *alone (masc.)*
sola, *alone (fem.)*
el sábado, *on Saturday*
después de, *after*
después de la clase, *after class*
después de la cena, *after dinner*
y, *and*
simpático, *charming (masc.)*
el aeropuerto, *the airport*

fui, *I went*
no fui, *I didn't go*
¿fue usted? *did you go?*

SPEAKING EXERCISE

1. Fui al cine anoche. *I went to the movies last night.*
2. Fui al cine con Roberto.
3. Fui al parque esta tarde.
4. Fui a la clase esta tarde.

5. Fui al teatro anoche.
6. Fui al banco esta tarde.
7. Fui a nadar esta tarde.
8. Fui al cine después de la cena.
9. Fui al parque después de la clase.
10. No fui al cine anoche.
11. No fui al parque esta tarde.
12. Roberto fue al cine. *Robert went to the movies.*
13. María fue al cine.
14. El doctor fue al hospital.
15. Roberto fue al cine después de la cena.
16. María no fue al cine anoche.
17. Roberto no fue al teatro anoche.

CONVERSATION

1. ¿Fue usted al cine anoche? *Did you go to the movies last night?*
   Sí, fui al cine anoche.
2. ¿Fue usted al cine solo (sola)?
   No, no fui al cine solo (sola). Fui al cine con Roberto y María.
3. ¿Es simpático Roberto?
   Sí, Roberto es muy simpático.
4. ¿Es simpática María?
   Sí, María es muy simpática.
5. ¿Fue usted a una fiesta el sábado?
   Sí, fui a una fiesta linda el sábado.

6. ¿Fue a la clase esta tarde?
   Sí, fui a la clase esta tarde.
7. ¿Fue a nadar después de la clase?
   No, no fui a nadar después de la clase.
8. ¿Fue al cine después de la clase?
   No, no fui al cine después de la clase.
9. ¿Fue al parque esta tarde?
   Sí, fui al parque esta tarde.
10. ¿Fue al teatro anoche?
    Sí, fui al teatro anoche.
11. ¿Fue al aeropuerto anoche?
    No, no fui al aeropuerto anoche.
12. ¿Fue al banco esta tarde?
    No, no fui al banco esta tarde.

EXERCISE

Answer the following questions:

1. ¿Fue usted al cine anoche?

___

2. ¿Fue usted a una fiesta el sábado?

___

3. ¿Fue al banco esta tarde?

___

4. ¿Fue a nadar el sábado?

___

5. ¿Fue a la clase esta tarde?

6. ¿Va al cine mañana?
Example: Sí, voy al cine mañana.

7. ¿Va a la clase esta tarde?

8. ¿Va a la fiesta esta noche?

9. ¿Va a nadar mañana?

10. ¿Fue al aeropuerto con Roberto?

11. ¿Va a la estación con María?

12. ¿Va al parque después de la clase?

13. ¿Fue al cine después de la cena?

14. ¿Fue a nadar después de la clase?

15. ¿Es simpático Roberto?

IR, *to go*

The verb IR (to go) is the only completely irregular verb in the Spanish language. It stands on its own and must not be connected with other verbs since it doesn't follow the rules. Fortunately, you already know the most important forms of this verb.

Below are the present and past tenses of IR. Review them well so that you will remember them easily.

IR, *to go*

Present

VOY	VAMOS
VA	VAN

voy, *I'm going, am I going? I go, do I go?*

va, *you are going, are you going? you go, do you go?*
he is going, is he going? he goes, does he go?
she is going, is she going? she goes, does she go?
it is going, is it going? it goes, does it go?

vamos, *we are going, are we going? we go, do we go?*

van, *you (pl.) are going, are you (pl.) going?*
you (pl.) go, do you (pl.) go?
they are going, are they going? they go, do they go?

Past

FUI	FUIMOS
FUE	FUERON

fui, *I went, did I go?*

fue, *you went, did you go?*
he went, did he go?
she went, did she go?
it went, did it go?

fuimos, *we went, did we go?*

fueron, *you (pl.) went, did you (pl.) go?*
they went, did they go?

Lesson 24

(*Past Tense of AR Verbs—Singular*)

To form the past of AR verbs, end the verb in É when you speak of yourself, and in Ó when you speak of anyone else.

Remove AR from the infinitive (the TO form) and add É or Ó.

votar	voté	votó
to vote	*I voted*	*you voted, did you vote?*
trabajar	trabajé	trabajó
to work	*I worked*	*you worked, did you work?*
comprar	compré	compró
to buy	*I bought*	*you bought, did you buy?*
nadar	nadé	nadó
to swim	*I swam*	*you swam, did you swim?*
cantar	canté	cantó
to sing	*I sang*	*you sang, did you sing?*
preparar	preparé	preparó
to prepare	*I prepared*	*you prepared, did you prepare?*
tomar	tomé	tomó
to take	*I took*	*you took, did you take?*

REMEMBER THESE WORDS

una limonada, *a lemonade*
espárragos, *asparagus*
el salmón, *the salmon*
anoche, *last night*
las papas, *the potatoes*
una ensalada, *a salad*
una taza, *a cup*
una taza de café, *a cup of coffee*
su, *your*
la cena, *supper, dinner (the evening meal)*
mi familia, *my family*
un coctel de frutas, a *fruit cocktail*
después de la cena, *after dinner*
para, *for*
para la cena, *for dinner*
para la clase, *for the class*
con su familia, *with your family*

tomé, *I took*
no tomé, *I didn't take*
¿tomó usted? *did you take?*
preparé, *I prepared*
¿preparó usted? *did you prepare?*
fui, *I went*
¿fue? *did you go?*

SPEAKING EXERCISE

1. Tomé café después de la cena. *I had (took) coffee after dinner (supper).*
2. Tomé una ensalada deliciosa.
3. Tomé una limonada esta tarde.
4. Tomé salmón para la cena.
5. Tomé la cena con mi familia.
6. Tomé un coctel de frutas, rosbif, papas, espárragos y una taza de café.
7. Preparé la lección para la clase.
8. Preparé la lección muy bien.
9. Fui al cine después de la cena.
10. Fui al parque después de la clase.

CONVERSATION

1. ¿Tomó usted la cena en casa anoche? *Did you have (take) dinner at home last night?*
   No, no tomé la cena en casa.
2. ¿Dónde tomó usted la cena?
   Tomé la cena en un restaurante.
3. ¿Tomó la cena solo (sola)?
   No, no tomé la cena solo (sola). Tomé la cena con mi familia.

4. ¿Tomó usted un coctel de frutas para la cena?
Sí, tomé un coctel de frutas para la cena.

5. ¿Tomó usted sopa?
Sí, tomé sopa.

6. ¿Tomó espárragos?
Sí, tomé espárragos.

7. ¿Tomó usted salmón?
No, no tomé salmón. Tomé rosbif.

8. ¿Tomó usted papas?
Sí, tomé papas.

9. ¿Tomó usted chocolate?
No, no tomé chocolate.

10. ¿Tomó usted té?
No, no tomé té. Tomé café.

11. ¿Tomó usted gasolina para la cena?
No, eso es absolutamente ridículo. No tomé gasolina para la cena. Tomé un coctel de frutas, sopa, espárragos, rosbif, papas, una ensalada y una taza de café.

12. ¿Fue al cine después de la cena?
Sí, fui al cine después de la cena.

13. ¿Fue con su familia?
No, no fui con mi familia. Fuí con Roberto y María.

14. ¿Tomó usted una limonada después del cine?
Sí, después del cine fui a un restaurante y tomé una limonada con Roberto y María.

15. ¿Fue a la clase esta tarde?
Sí, fui a la clase esta tarde.

16. ¿Preparó la lección para la clase?
Sí, preparé la lección muy bien.

EXERCISES

Below you will find the YOU form of several verbs. Change the YOU form to the I form (first person singular):

1. tomó Example: tomé
2. votó ....
3. preparó ....
4. trabajó ....
5. compró ....
6. nadó ....
7. cantó ....
8. fue ....

Answer the following questions:

1. ¿Tomó salmón para la cena?

____

2. ¿Tomó gasolina para la cena?

____

3. ¿Preparó la lección para la clase?

____

4. ¿Tomó un coctel de frutas para la cena?

____

5. ¿Tomó la cena en casa?

____

6. ¿Tomó una taza de café?

____

7. ¿Tomó espárragos para la cena?

____

8. ¿Dónde tomó la cena?

____

9. ¿Tomó la cena con su familia?

____

10. ¿Fue al cine anoche?

____

11. ¿Fue al cine con su familia?

____

12. ¿Fue a la clase esta tarde?

____

13. ¿Fue a nadar el sábado?

____

14. ¿Fue a una fiesta el sábado?

____

REMEMBER:

The YOU form of all verbs is also the HE, SHE and IT form.

Example:

cantó, *you sang, did you sing?*
he sang, did he sing?
she sang, did she sing?
it sang, did it sing?

¿Cantó el pájaro? *Did the bird sing?*
Sí, cantó mucho. *Yes, it sang a lot.*

Lesson 25

(*Singular Past of AR Verbs*—Continued)

REMEMBER: To form the past of AR verbs, remove the AR and add É or Ó.

hablar	hablé	habló
to speak	*I spoke*	*did you speak?*
bailar	bailé	bailó
to dance	*I danced*	*did you dance?*
estudiar	estudié	estudió
to study	*I studied*	*did you study?*
depositar	deposité	depositó
to deposit	*I deposited*	*did you deposit?*
trabajar	trabajé	trabajó
to work	*I worked*	*did you work?*
entrar	entré	entró
to come in, go in	*I came in, went in*	*did you come in, go in?*
notar	noté	notó
to notice	*I noticed*	*did you notice?*
copiar	copié	copió
to copy	*I copied*	*did you copy?*
terminar	terminé	terminó
to finish	*I finished*	*did you finish?*

REMEMBER THESE WORDS

los dulces, *candy (the sweets)*
la corbata, *the necktie*
la camisa, *the shirt*
los caramelos, *caramels*
su papá, *your father*
su mamá, *your mother*
mi, *my*
la fotografía, *the photograph*
la librería, *the book store*
para la clase, *for the class*
las frases, *the sentences*
el chicle, *chewing gum*
una pipa, *a pipe*
bien, *well*
un vestido, *a dress*
después de la clase, *after class*

fui, *I went*
compré, *I bought*
fue, *did you go?*
compró, *did you buy?*

hablé, *I talked*	habló, *did you talk?*
canté, *I sang*	cantó, *did you sing?*
estudié, *I studied*	estudió, *did you study?*
preparé, *I prepared*	preparó, *did you prepare?*

SPEAKING EXERCISE

1. Compré una camisa para mi papá. *I bought a shirt for my father.*
2. No compré una blusa.
3. Compré una corbata  para mi papá.
4. Compré un vestido  muy bonito.
5. Compré caramelos y chocolates.
6. Compré dulces.
7. El chicle es delicioso.
8. Los caramelos son deliciosos.
9. Compré una pipa  para mi papá.
10. Compré un libro  en la librería.
11. Preparé la lección para la clase.
12. Estudié mucho anoche.
13. Hablé bien en la clase esta tarde.
14. Fui a la tienda después de la clase.

CONVERSATION

1. ¿Fue usted a la clase esta tarde?
   Sí, fui a la clase esta tarde.

2. ¿Preparó la lección para la clase?
Sí, preparé la lección para la clase.

3. ¿Estudió mucho?
Sí, estudié mucho.

4. ¿Estudió las frases en el libro?
Sí, estudié las frases en el libro.

5. ¿Cantó usted en la clase?
No, no canté en la clase.

6. ¿Habló español en la clase?
Sí, hablé español en la clase.

7. ¿Habló bien?
Sí, hablé muy bien.

8. ¿Habló mucho?
Sí, hablé mucho.

9. ¿Fue usted a la tienda después de la clase?
Sí, fui a la tienda después de la clase.

10. ¿Compró usted un sombrero?
No, no compré un sombrero.

11. ¿Compró usted una corbata?
No, no compré una corbata.

12. ¿Compró una blusa?
No, no compré una blusa.

13. ¿Compró usted una camisa para su papá?
Sí, compré una camisa para mi papá.

14. ¿Compró flores?
No, no compré flores.

15. ¿Compró usted un vestido?
No, no compré un vestido.

16. ¿Compró usted dulces para su mamá?
Sí, compré dulces para mi mamá. Compré caramelos y chocolates.

17. ¿Son deliciosos los caramelos?
Sí, los caramelos son deliciosos.

18. ¿Es delicioso el chicle?
Sí, el chicle es delicioso.

19. ¿Compró usted un tractor?
No, eso es absolutamente ridículo. No compré un tractor.

20. ¿Compró usted una pipa para su papá?
Sí, compré una pipa para mi papá.

21. ¿Compró usted un libro?
Sí, compré un libro muy bonito con fotografías en color.

22. ¿Dónde compró el libro?
Compré el libro en una librería.

EXERCISES

Change the following verbs into the YOU form (singular):

1. compré Example: compró
2. hablé ....
3. bailé ....
4. terminé ....
5. voté ....
6. tomé ....

7. trabajé ....
8. preparé ....
9. estudié ....
10. copié ....
11. nadé ....
12. noté ....
13. canté ....
14. entré ....
15. deposité ....
16. fui ....

Answer the following questions:

1. ¿Habló italiano en la clase?
   No, ...
2. ¿Habló español en la clase?
   Sí, ...
3. ¿Preparó la lección para la clase?
   Sí, ...
4. ¿Habló mucho en la clase?
   Sí, ...
5. ¿Habló bien en la clase?
   Sí, ...
6. ¿Compró usted caramelos?
   Sí, ...
7. ¿Compró una camisa?
   Sí, ...

8. ¿Compró un sombrero en la tienda?
Sí, ...

9. ¿Es delicioso el chicle?
Sí, ...

10. ¿Son deliciosos los chocolates?
Sí, ...

11. ¿Compró muchos libros?
Sí, ...

12. ¿Dónde compró los libros?
....

13. ¿Dónde compró la blusa?
....

14. ¿Dónde compró el vestido?
....

15. ¿Compró usted un tractor?
No, ...

16. ¿Compró rosas?
....

17. ¿Compró una corbata?
....

18. ¿Fue al parque después de la clase?
No, ...

19. ¿Fue al cine después de la cena?
Sí, ...

20. ¿Estudió mucho el sábado?
Sí, ...

21. ¿Cantó usted a la luz de la luna?
No, ...

READING EXERCISE

Vocabulary: 1. el sábado, *on Saturday* 2. fui a visitar, *I went to visit* 3. Fui en auto. *I went in the car.* 4. la casa de Carlos, *Carlos' house* 5. en la playa, *on the beach* 6. toda la mañana, *the whole morning, all morning* 7. nadó, *she swam* 8. con nosotros, *with us* 9. tomamos, *we had* 10. la mamá de Carlos, *Carlos' mother* 11. el domingo, *on Sunday* 12. unos amigos mexicanos, *some Mexican friends* 13. la compró, *he bought it* 14. canciones mexicanas, *Mexican songs* 15. canta, *she sings* 16. todos hablamos, *we all spoke* 17. son, *they are*

EL FIN DE SEMANA
The Weekend

El sábado fui a visitar a Carlos. Fui en auto. La casa de Carlos está en la playa. Nadé con Carlos toda la mañana. María fue a la playa también, y nadó con nosotros. En la playa tomamos limonada, sandwiches, y dulces. La mamá de Carlos preparó sandwiches deliciosos.

El domingo fui a una fiesta en la casa de unos amigos mexicanos. Roberto tocó la guitarra muy bien. Tiene una guitarra muy bonita. La compró en Caracas. María cantó canciones mexicanas. Canta muy bien. Todos hablamos español con los mexicanos. Son muy simpáticos.

Lesson 26

(*Personal A*)

In Spanish you place an A after a verb when it is followed by a person. This A is known as the PERSONAL **A.**

Examples:

Invité a Carlos. *I invited Charles.*
Visité a Marta. *I visited Martha.*

This personal A doesn't mean anything.

When a personal A comes before the word EL, you use the contraction AL.

Examples:

El doctor curó al paciente. *The doctor cured the patient.*
El doctor examinó al paciente. *The doctor examined the patient.*
Recomendé al doctor. *I recommended the doctor.*

REMEMBER THESE WORDS

loco, *crazy (masc.)*
eso es loco, *that's crazy*
los caramelos, *the caramels*
los dulces, *the candy (the sweets)*
anoche, *last night*
su, *your, his, her, their*

Juan, *John*
el campo, *the country (not nation)*
¡Pobre Luis!, *Poor Luis!*
mi mamá, *my mother*
el lunes, *on Monday*

visité, *I visited*
invité, *I invited*
llevé, *I took*
recomendé, *I recommended*
fui, *I went*

¿visitó usted? *did you visit?*
¿invitó usted? *did you invite?*
¿llevó usted? *did you take?*
¿recomendó? *did you recommend?*
¿fue usted? *did you go?*

SPEAKING EXERCISE

1. Invité a Juan a la fiesta. *I invited John to the party.*
2. Visité a Juan anoche.

3. Visité a Roberto en el campo.
4. Invité a María a la clase.
5. Recomendé al doctor.
6. Recomendé al dentista.
7. Llevé a Juan al rancho.
8. Llevé a Juan al parque.
9. Llevé a mi mamá al cine.
10. Llevé a mi papá a la estación.
11. Llevé a María a la tienda.
12. Llevé a Juan al teatro.

When a person does not follow the verb you do not use a personal A.

13. Llevé mi libro a la clase.
14. Llevé el dinero al banco.
15. Llevé el paraguas  a mi casa.

CONVERSATION

1. ¿Visitó a Juan anoche? *Did you visit John last night?*
   Sí, visité a Juan anoche.
2. ¿Visitó a María esta tarde?
   Sí, visité a María esta tarde.
3. ¿Visitó a Luis en el hospital esta tarde?
   Sí, visité a Luis en el hospital esta tarde.
4. ¿Compró usted dulces?
   Sí, compré dulces para Luis. Compré caramelos y chocolates.

5. ¿Llevó a Luis al cine?
No, no llevé a Luis al cine. No es posible. Está en el hospital. ¡Pobre Luis!

6. ¿Visitó usted a Luis anoche?
No, no visité a Luis anoche.

7. ¿Llevó usted a Juan a la estación?
No, no llevé a Juan a la estación.

8. ¿Llevó a su mamá al cine.
Sí, llevé a mi mamá al cine.

9. ¿Fue usted al parque esta tarde?
Sí, fui al parque esta tarde.

10. ¿Llevó usted el perro al parque?
Sí, llevé el perro al parque.

11. ¿Llevó usted el canario al parque?
No, eso es loco. No llevé el canario al parque.

12. ¿Llevó usted el canario al cine?
No, eso es absolutamente ridículo. No llevé el canario al cine. Llevé a mi mamá al cine.

13. ¿Fue usted a la clase el lunes?
Sí, fui a la clase el lunes.

14. ¿Estudió usted la lección para la clase?
Sí, estudié la lección para la clase.

15. ¿Llevó a su mamá a la clase?
No, no llevé a mi mamá a la clase.

16. ¿Llevó a su papá a la clase?
No, no llevé a mi papá a la clase.

17. ¿Llevó el libro a la clase?
Sí, llevé el libro a la clase.

18. ¿Tomó usted una limonada en la clase?
No, no tomé una limonada en la clase. Estudié mucho en la clase.

EXERCISES

Let's see how well you have learned the personal A. You will find blank spaces in the sentences below. Fill in the personal A, or AL or nothing:

1. Example: Visité *a* Juan.
2. Example: El doctor curó *al* paciente.
3. Example: Llevé el libro a la clase

In sentence 3 you add nothing because a person does not follow the verb.

4. Llevé .... mi mamá al cine.
5. Invité .... Juan a la fiesta.
6. Llevé .... el dinero al banco.
7. Visité .... Roberto en el rancho.
8. Recomendé .... dentista.
9. Llevé .... el paraguas  al cine.
10. Compré .... un paraguas esta tarde.
11. Llevé .... Juan al rancho.
12. Llevé .... mi papá a la estación.
13. El doctor examinó .... paciente.
14. Roberto visitó .... Luis en el hospital.
15. Mi papá llevó .... Roberto al cine.

16. Mi mamá llevó .... María al parque.

17. Visité .... Roberto el sábado.

Answer the following questions:

1. ¿Compró usted caramelos esta tarde?
2. ¿Llevó a su mamá a la clase?
3. ¿Es delicioso el chicle?
4. ¿Visitó a Roberto el sábado?
5. ¿Invitó a María a la fiesta?
6. ¿Fue al parque esta tarde?
7. ¿Llevó a su papá al parque?
8. ¿Estudió usted la lección para la clase?
9. ¿Fue a la fiesta el sábado?
10. ¿Invitó a Roberto a su casa?

Change the following verbs into the I form (first person singular):

1. compró Example: compré
2. llevó ....
3. habló ....
4. invitó ....
5. entró ....
6. cantó ....
7. bailó ....
8. votó ....

9. visitó ....

10. recomendó ....

11. terminó ....

12. tomó ....

13. preparó ....

14. trabajó ....

15. copió ....

16. notó ....

17. nadó ....

18. estudió ....

19. depositó ....

20. fue ....

NOTE:

"Llevar" means "to take" in the sense of taking someone or something somewhere.

"Tomar" means "to take" in all other senses, such as to take a bus or a taxi or any other vehicle. Also to take a lesson or any food or drink.

Llevé a María a la estación. *I took Mary to the station.*
Llevé el libro a la clase. *I took the book to the class.*
Tomé un taxi. *I took a taxi.*
Tomé el tren. *I took the train.*
Roberto tomó el avión. *Robert took the plane.*
Tomé la cena con Juan. *I had (took) dinner with John.*
Tomé un sándwich. *I had (took) a sandwich.*
Tomé una limonada. *I had (took) a lemonade.*
Tomé sopa para la cena. *I had (took) soup for dinner.*

NOTE:

The personal A is used in all tenses.

(Future) Voy a visitar a Juan. *I'm going to visit John.*

(Future) Voy a invitar a Roberto. *I'm going to invite Robert.*

(Present) El doctor examina a los pacientes. *The doctor examines the patients.*

(Present) Invito a Roberto a todas las fiestas. *I invite Robert to all the parties.*

Lesson 27

(*Past Tense of AR Verbs — Plural*)

The WE form of AR verbs is identical in the present and the past.

Remove AR and add AMOS.

llevar, *to take*	llevamos, *we take, we took*
comprar, *to buy*	compramos, *we buy, we bought*
hablar, *to speak*	hablamos, *we speak, we spoke*
estudiar, *to study*	estudiamos, *we study, we studied*
terminar, *to finish*	terminamos, *we finish, we finished*
trabajar, *to work*	trabajamos, *we work, we worked*
nadar, *to swim*	nadamos, *we swim, we swam*
notar, *to notice*	notamos, *we notice, we noticed*
entrar, *to come in, go in*	entramos, *we come in, go in; we came in, we went in*

The THEY form of the past tense of AR verbs ends in ARON.

Remove AR and add ARON.

bailar, *to dance*	bailaron, *they danced*
llevar, *to take*	llevaron, *they took*
comprar, *to buy*	compraron, *they bought*
hablar, *to speak*	hablaron, *they spoke*
terminar, *to finish*	terminaron, *they finished*
trabajar, *to work*	trabajaron, *they worked*
nadar, *to swim*	nadaron, *they swam*
jugar, *to play (a game)*	jugaron, *they played (a game)*
regresar, *to return*	regresaron, *they returned*

"Regresar" means "to return, to get back, to come back." Example: Regresamos del campo tarde. *We got back from the country late.*

NOTE: Remember that the THEY form and the YOU (plural) form are identical. Each of the above ARON verbs has four English translations.

Example:
compraron, *you (plural) bought, did you (pl.) buy?*
they bought, did they buy?

REMEMBER THESE WORDS

el club, *the club*
un amigo, *a friend (masc.)*
una amiga, *a friend (fem.)*
tarde, *late*
tenis, *tennis*
bridge, *bridge (game)*
beisbol, *baseball*
¿cuándo? *when?*
el domingo, *on Sunday*
el campo, *the country (not nation)*
hay, *there is, there are is there? are there?*
el postre, *the dessert*
yo, *I*
y yo, *and I*
nosotros, *we*
un lago, *a lake*
sus pipas, *their pipes*
muy lindo, *very lovely*
¿qué? *what?*
el sábado pasado, *last Saturday (the past Saturday)*
la casa de Roberto, *Robert's house (the house of Robert)*

visitaron, *did you (pl.) visit?*
visitamos, *we visited*
llevaron, *did you (pl.) take?*
llevamos, *we took*
nadaron, *did you (pl.) swim?*
nadamos, *we swam*
jugaron, *did you (pl.) play?*
jugamos, *we played*
tomaron, *did you (pl.) take?*
tomamos, *we took*
hablaron, *did you (pl.) speak?*
hablamos, *we spoke*
cantaron, *did you (pl.) sing?*
cantamos, *we sang*
compraron, *did you (pl.) buy?*
compramos, *we bought*
regresaron, *did you (pl.) return?*
regresamos, *we returned, got back*

SPEAKING EXERCISE

1. Roberto y yo compramos dulces. *Robert and I bought candy.*
2. Roberto y yo jugamos tenis.
3. Luis y yo estudiamos la lección.
4. María y yo tomamos la cena en un restaurante.
5. Luis y yo preparamos la lección muy bien.
6. Roberto y yo nadamos en un lago muy lindo el sábado.
7. Mamá y yo visitamos a un amigo el domingo.
8. Mamá y yo llevamos a María al cine.
9. Papá y yo llevamos a Roberto al campo.
10. María y yo hablamos en español en la clase.
11. Mi mamá y yo regresamos a la casa tarde.
12. Roberto y Luis jugaron tenis. *Robert and Luis played tennis.*
13. Roberto y María jugaron bridge anoche con mamá y papá.
14. Roberto y Luis jugaron golf en el club el sábado.
15. Luis y María cantaron canciones mexicanas anoche.
16. Cantaron muy bien. *They sang very well.*
17. Hablaron muy bien.
18. Nadaron muy bien.
19. Jugaron muy bien.
20. Roberto y María visitaron a Luis el sábado.

21. Roberto y Carmen invitaron a Luis a la fiesta.

22. Luis y María llevaron a Roberto al cine.

23. Roberto y María regresaron del campo esta tarde.

24. Los mexicanos cantaron muy bien.

25. Las señoritas bailaron muy bien.

26. Los hombres hablaron con mucho entusiasmo, tomaron café y fumaron sus pipas.

27. ¿Cuándo regresaron del campo? *When did you (plural) get back from the country?*

28. ¿Cuándo regresaron de España?

29. ¿Cuándo regresaron de Venezuela?

30. ¿Cuándo regresaron de México?

CONVERSATION

1. ¿Visitaron a Luis en el campo? *Did you (plural) visit Luis in the country?*
   Sí, visitamos a Luis el sábado pasado.

2. ¿Llevaron a Roberto al campo?
   Sí, llevamos a Roberto al campo.

3. ¿Llevaron a María al campo?
   Sí, llevamos a María al campo.

4. ¿Nadaron en el mar?
   No, no nadamos en el mar. Nadamos en un lago muy bonito.

5. ¿Hay sardinas en el lago?
   No, no hay sardinas en el lago.

6. ¿Hay salmón en el lago?
   No, no hay salmón en el lago.

7. ¿Jugaron tenis en el campo?
Sí, jugamos tenis en el campo.

8. ¿Jugaron tenis con su papá?
Sí, jugamos tenis con mi papá.

9. ¿Jugaron bridge?
No, no jugamos bridge. Papá y mamá jugaron bridge. Nosotros jugamos tenis.

10. ¿Jugaron golf en el club?
No, no jugamos golf. Papá jugó golf.

11. ¿Jugaron beisbol?
No, no jugamos beisbol.

12. ¿Tomaron la cena en la casa de Luis?
Sí, tomamos una cena deliciosa en la casa de Luis.

13. ¿Qué tomaron para la cena?
Tomamos un coctel de frutas, rosbif, papas, espárragos, sopa, una ensalada y un postre delicioso.

14. ¿Tomó usted una taza de café?
Sí, tomé una taza de café.

15. ¿Hablaron en español?
No, no hablamos en español. Hablamos en inglés.

16. ¿Cantaron después de la cena?
Sí, cantamos mucho después de la cena.

17. ¿Compraron flores en el campo?
Sí, compramos muchas flores en el campo.

18. ¿Cuándo regresaron del campo?
Regresamos del campo el domingo.

19. ¿Regresaron tarde?
Sí, regresamos muy tarde.

20. ¿Regresaron en auto?
Sí, regresamos en auto.

EXERCISES

Give the THEY form (past tense) of the following verbs:

1. compramos Example: compraron
2. llevamos ....
3. invitamos ....
4. hablamos ....
5. cantamos ....
6. entramos ....
7. bailamos ....
8. regresamos ....
9. votamos ....
10. visitamos ....
11. jugamos ....
12. recomendamos ....
13. terminamos ....
14. tomamos ....
15. preparamos ....
16. depositamos ....
17. estudiamos ....
18. nadamos ....
19. notamos ....
20. copiamos ....
21. trabajamos ....

It is really very simple to change one verb form to another. For example, in the above exercises you have made a perfect score if you removed AMOS from each verb and added ARON.

Answer the following questions:

1. ¿Visitaron a Luis el sábado?
   Example: Sí, visitamos a Luis el sábado.
2. ¿Visitaron a Roberto el domingo?
   Example: No, no visitamos a Roberto el domingo.
3. ¿Llevaron a María al campo?
   Sí, ...
4. ¿Llevaron a Roberto al campo?
   Sí, ...
5. ¿Nadaron en el mar?
   No, ...
6. ¿Jugaron tenis con su papá?
   Sí, ...
7. ¿Compraron flores en el campo?
   Sí, ...
8. ¿Cantaron después de la cena?
   Sí, ...
9. ¿Jugaron golf en el club?
   No, ...
10. ¿Nadaron en el lago?
    Sí, ...
11. ¿Tomaron la cena en un restaurante?
    Sí, ...
12. ¿Llevaron a Luis al campo?
    No, ...

13. ¿Invitaron a Luis a la fiesta?
Sí, ...

14. ¿Regresaron tarde?
Sí, ...

Past Tense Endings of AR Verbs

(I)	É	AMOS	(we)
(you)	Ó	ARON	(they)

Remember that in order to form the past tense, you remove AR from the infinitive (TO form) and add the above endings.

COMPRAR, *to buy*

(I bought)	COMPRÉ	COMPRAMOS	*(we bought)*
(you bought)	COMPRÓ	COMPRARON	*(they bought)*

Give the four past tense forms of the following verbs:

1. hablar, *to speak.*

Example:

hablar

hablé	hablamos
habló	hablaron

2. visitar, *to visit*

3. invitar, *to invite*

4. regresar, *to return, to get back*

5. llevar, *to take*

6. comprar, *to buy*

7. nadar, *to swim*

8. cantar, *to sing*

9. terminar, *to finish*

10. trabajar, *to work*

11. bailar, *to dance*

NOTE:

"Jugar" is slightly different from the other verbs. (You insert a letter u before the É of the I form).

jugar, *to play (a game)*

(I played)	jugué	jugamos	*(we played)*
(you played)	jugó	jugaron	*(they played)*

(Verbs which end in "GAR" in the infinitive, end in GUÉ in the first person singular of the past.)

IMPORTANT

Before going on to the next lesson, review Lessons 23, 24, 25, 26 and 27 thoroughly. Repeat all the exercises in these lessons to see if you can do them without hesitation.

Lesson 28

(Past Tense of ER and IR Verbs — Singular)

To form the past of ER and IR verbs, end the verbs in Í when you speak of yourself, and IÓ when you speak of anyone else (singular).

Remove ER or IR from the infinitive (the TO form) and add Í or IÓ.

vender	vendí	vendió
to sell	*I sold*	*you sold, did you sell?*
comprender	comprendí	comprendió
to understand	*I understood*	*you understood, did you understand?*
ofender	ofendí	ofendió
to offend	*I offended*	*you offended, did you offend?*
ver	vi	vio
to see	*I saw*	*you saw, did you see?*
vivir	viví	vivió
to live	*I lived*	*you lived, did you live?*
escribir	escribí	escribió
to write	*I wrote*	*you wrote, did you write?*
decidir	decidí	decidió
to decide	*I decided*	*you decided, did you decide?*
insistir	insistí	insistió
to insist	*I insisted*	*you insisted, did you insist?*
recibir	recibí	recibió
to receive	*I received*	*you received, did you receive?*

REMEMBER THESE WORDS

un cable, *a cable*
un paquete, *a package*
un regalo, *a present*
de Luis, *from Luis*
ayer, *yesterday*
los sándwiches, *the sandwiches*
¿qué es? *what is, what is it?*
el abrigo, *the coat*
esta mañana, *this morning*
el telegrama, *the telegram*
un poema romántico, *a romantic poem*

recibí, *I received*	¿recibió usted? *did you receive?*
escribí *I wrote*	¿escribió usted? *did you write?*
vendí, *I sold*	¿vendió usted? *did you sell?*
comprendí, *I understood*	¿comprendió usted? *did you understand?*
vi, *I saw*	¿vio usted?, *did you see?*

Remember to use the personal A when a person follows a verb. Example: Vi a Roberto. *(I saw Robert).*

SPEAKING EXERCISE

1. Vi a Roberto ayer. *I saw Robert yesterday.*
2. Vi a María esta mañana.
3. Vi a Juan en el club.
4. Vi a su mamá en el banco esta mañana.
5. Vi a su papá en el aeropuerto anoche.
6. Vi un cine muy interesante el sábado.
7. Vi muchos aviones en el aeropuerto.
8. El doctor vendió el auto ayer.
9. Vendí la bicicleta.
10. Escribí las frases para la clase.
11. Escribí una carta esta mañana.
12. Recibí una carta muy interesante esta mañana.
13. Recibí un regalo muy bonito ayer.
14. Mi papá recibió un cable muy importante esta tarde.
15. María comprendió la lección.

16. Su abrigo  es muy bonito.

17. Mamá recibió un regalo muy bonito ayer.

CONVERSATION

1. ¿Recibió usted un cable esta mañana? *Did you receive a cable this morning?*
   No, no recibí un cable esta mañana.

2. ¿Recibió usted un paquete 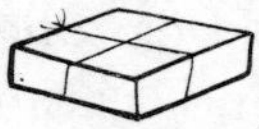 esta mañana?
   Sí, recibí un paquete esta mañana. Recibí un regalo de Luis.

3. ¿Es bonito el regalo?
   Sí, el regalo es muy bonito.

4. ¿Qué es?
   Es un libro muy bonito.

5. ¿Recibió usted un telegrama ayer?
   No, no recibí un telegrama ayer.

6. ¿Recibió una carta 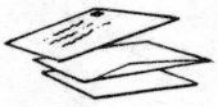 esta mañana?
   Sí, recibí una carta en español esta mañana.

7. ¿Comprendió usted la carta?
   Sí, comprendí la carta muy bien.

8. ¿Es interesante la carta?
   Sí, la carta es muy interesante.

9. ¿Escribió usted una carta esta tarde?
   No, no escribí una carta esta tarde. Esta tarde fui al cine.

10. ¿Escribió usted las frases para la clase?
    Sí, escribí las frases para la clase.

11. ¿Escribió usted un poema romántico?
No, no escribí un poema romántico.

12. ¿Escribió usted un artículo?
No, no escribí un artículo.

13. ¿Vendió usted su sombrero?
No, eso es ridículo. No vendí mi sombrero.

14. ¿Vendió usted sándwiches en la clase?
No, eso es loco. No vendí sándwiches en la clase.

15. ¿Vendió usted caramelos en la clase?
Ay no, no vendí caramelos en la clase.

16. ¿Vendió usted su abrigo?
Ay no, eso es absolutamente ridículo. No vendí mi abrigo.

17. ¿Vio usted un cine anoche?
Sí, anoche vi un cine muy interesante.

18. ¿Vio usted a Roberto anoche?
Sí, anoche vi a Roberto.

19. ¿Vio usted a María esta tarde?
Sí, vi a María esta tarde.

EXERCISES

Give the YOU form (singular) of the following verbs:

1. comprendí Example: comprendió
2. vendí ....
3. vi ....
4. ofendí ....
5. viví ....
6. recibí ....

7. insistí ....
8. decidí ....
9. escribí ....

Answer the following questions:

1. ¿Escribió usted una carta ayer?
   Sí, ...
2. ¿Recibió un cable importante ayer?
   No, ...
3. ¿Comprendió usted la lección?
   Sí, ...
4. ¿Recibió usted un paquete esta tarde?
   Sí, ...
5. ¿Recibió usted un regalo de Luis?
   Sí, ...
6. ¿Escribió usted las frases para la clase?
   Sí, ...
7. ¿Vendió usted la bicicleta?
   No, ...
8. ¿Escribió usted un poema romántico?
   No, ...
9. ¿Vendió usted caramelos en la clase?
   No, ...
10. ¿Vio usted un cine interesante ayer?
    Sí, ...
11. ¿Vio usted a Juan ayer?
    Sí, ...
12. ¿Vio a María esta mañana?
    Sí, ...

Lesson 29

(Past Tense of ER and IR Verbs — Plural)
(Direct Object Pronouns)

The WE form of the past tense of ER and IR verbs ends in IMOS.

The THEY form of the past tense of ER and IR verbs ends in IERON.

Remove ER or IR from the infinitive (the TO form) and add IMOS or IERON.

vender	vendimos	vendieron
to sell	*we sold*	*they sold*
comprender	comprendimos	comprendieron
to understand	*we understood*	*they understood*
ofender	ofendimos	ofendieron
to offend	*we offended*	*they offended*
ver	vimos	vieron
to see	*we saw*	*they saw*
vivir	vivimos	vivieron
to live	*we lived*	*they lived*
escribir	escribimos	escribieron
to write	*we wrote*	*they wrote*
decidir	decidimos	decidieron
to decide	*we decided*	*they decided*
insistir	insistimos	insistieron
to insist	*we insisted*	*they insisted*
recibir	recibimos	recibieron
to receive	*we received*	*they received*
leer	leímos	leyeron
to read	*we read (past)*	*they read (past)*

Notice that "leyeron" doesn't end in IERON but in YERON.

REMEMBER THESE WORDS

ayer, *yesterday*
el día, *the day*
el otro, *the other (masc.)*
la otra, *the other (fem.)*
el otro día, *the other day*
la otra noche, *the other night*
lo, *him*
la, *her*

LO *(him)* and LA *(her)* are placed before the verb.

lo vimos, *we saw him (him we saw)*
la vimos, *we saw her (her we saw)*
lo invitamos, *we invited him (him we invited)*
la invitamos, *we invited her (her we invited)*
lo vi, *I saw him (him I saw)*
la vi, *I saw her (her I saw)*
lo invité, *I invited him (him I invited)*

escribimos, *we wrote*
recibimos, *we received*
vendimos, *we sold*
leímos, *we read (past)*
escribieron, *did you (pl.) write?*
recibieron, *did you (pl.) receive?*
vendieron, *did you (pl.) sell?*
leyeron, *did you (pl.) read?*

SPEAKING EXERCISE

1. Vimos a María esta mañana. *We saw Mary this morning.*
2. Vieron a Roberto ayer. *They saw Robert yesterday.*
3. Recibimos el paquete ayer.
4. Recibieron el cable esta mañana.
5. Vendimos la casa el otro día.
6. Comprendimos la lección muy bien.
7. Lo vimos esta mañana. *We saw him this morning.*
8. La vimos en el parque el otro día.
9. La visitamos la otra noche.
10. Leímos una novela muy interesante.

CONVERSATION

1. ¿Vieron a Roberto ayer? *Did you see Robert yesterday?*
   Sí, lo vimos en la fiesta. *Yes, we saw him at the party.*

2. ¿Vieron a mi mamá esta mañana?
   Sí, la vimos en el banco.

3. ¿Vieron a mi papá anoche?
   Sí, lo vimos en el aeropuerto.

4. ¿Vieron un cine anoche?
   Sí, vimos un cine muy interesante anoche.

5. ¿Escribieron las frases para la clase?
   Sí, escribimos las frases para la clase.

6. ¿Leyeron las frases en la clase?
   Sí, leímos las frases en la clase.

7. ¿Leyeron el libro en la clase?
   Sí, leímos el libro en la clase.

8. ¿Comprendieron la lección?
   Sí, comprendimos la lección muy bien.

EXERCISES

Give the THEY form of these verbs:

1. vimos Example: vieron
2. recibimos ....
3. vendimos ....
4. vivimos ....
5. comprendimos ....
6. ofendimos ....

7. escribimos ....

8. insistimos ....

9. decidimos ....

10. leímos ....

Answer these questions:

1. ¿Vieron a Roberto ayer?

___

2. ¿Vieron a mi papá anoche?

___

3. ¿Escribieron las frases?

___

4. ¿Leyeron el libro en la clase?

___

5. ¿Recibieron la carta?

___

6. ¿Comprendieron la lección?

___

7. ¿Recibieron el paquete ayer?

___

LO means YOU (masculine) and HIM.
LA means YOU (feminine) and HER.

Lo vi. *I saw you* (when speaking to a boy or man).
I saw him.

La vi. *I saw you* (when speaking to a girl or woman).
I saw her.

ME means *ME.*

Roberto me invitó a la fiesta. *Robert invited me to the party.*

Juan me visitó ayer. *John visited me yesterday.*

(me)	ME	NOS	*(us)*
(you (masc.), him)	LO	LOS	*(them, masc.)*
(you (fem.), her)	LA	LAS	*(them, fem.)*

Read these sentences aloud:

Nos invitó a la fiesta. *He invited us to the party.*
Los visitó ayer. *He visited them yesterday.*
La llevé al cine. *I took her to the movies.*
Me llevó a la estación. *He took me to the station.*

LO also means "it" (masc.)
LA means "it" (fem.)

Lo vi. *I saw it* (when you refer to something masculine).
La vi. *I saw it* (when you refer to something feminine).

NOTE:

Pronouns are added on to the infinitive (the TO form) to make one word.

Examples:

Voy a verlo. *I'm going to see him.*
Voy a invitarla. *I'm going to invite her.*

Lesson 30

(Past Tense of Irregular Verbs)

You remember that past tense AR verbs end in É when you speak of yourself and Ó when you speak of any one else.

invité, *I invited*
invitó, *you invited*

Most irregular verbs have the same endings, except without accents:

vine, *I came*	vino, *did you come?*
tuve, *I had*	tuvo, *did you have?*
estuve, *I was*	estuvo, *were you?*
traje, *I brought*	trajo, *did you bring?*
dije, *I said*	dijo, *did you say?*
hice, *I did, I made*	hizo, *did you do? did you make?*

Note that "hizo" is written with a "z."

REMEMBER THESE WORDS

tiempo, *time*	por fortuna, *fortunately*
a tiempo, *on time*	la cosa, *the thing*
tarde, *late*	una cosa interesante, *an interesting thing*
el suéter, *the sweater*	muchas cosas interesantes, *many interesting things*
un accidente, *an accident*	la semana, *the week*
visitas, *visitors, company*	la semana pasada, *last week*
mi primo, *my cousin (masc.)*	
mis primos, *my cousins*	

SPEAKING EXERCISE

1. Juan vino a la fiesta con su primo. *John came to the party with his cousin.*
2. Vine a la clase a tiempo. *I came to the class on time.*
3. María vino a la clase tarde.

4. Roberto tuvo una fiesta el sábado.
5. Tuve visitas ayer.
6. Traje el libro a la clase.
7. María trajo el paraguas.

8. No traje el suéter.
9. Juan dijo muchas cosas interesantes.
10. Hice una cosa interesante ayer.
11. Luis hizo muchas cosas interesantes en México.
12. No estuve en la clase la semana pasada. *I wasn't in class last week.*
13. No tuve tiempo. *I didn't have time.*
14. Roberto no tuvo tiempo.

CONVERSATION

1. ¿Vino a la clase la semana pasada?
   Did you come to class last week?
   Sí, vine a la clase la semana pasada.
2. ¿Vino a la clase a tiempo esta tarde?
   No, no vine a la clase a tiempo. Vine a la clase tarde.
3. ¿Vino a la clase con Luis?
   Sí, vine a la clase con Luis.
4. ¿Trajo su libro a la clase?
   Sí, traje mi libro.
5. ¿Trajo usted el paraguas?
   No, no traje el paraguas.
6. ¿Trajo usted el suéter?
   No, no traje el suéter.

7. ¿Dónde estuvo usted ayer? *Where were you yesterday?*
   Estuve en el campo con mis primos.

8. ¿Dónde estuvo usted esta tarde?
   Estuve en el parque esta tarde.

9. ¿Tuvo usted una fiesta el sábado?
   Sí, tuve una fiesta el sábado.

10. ¿Tuvo usted un accidente?
    No, por fortuna no tuve un accidente.

11. ¿Tuvo visitas el domingo?
    Sí, tuve visitas el domingo.

EXERCISES

Give the I form of the following verbs:

1. dijo Example: dije
2. trajo ....
3. vino ....
4. tuvo ....
5. estuvo ....
6. hizo ....

Answer these questions:

1. ¿Vino a la clase esta tarde?
   ....
2. ¿Vino a la clase a tiempo?
   ....
3. ¿Vino a la fiesta con Luis?
   ....

4. ¿Trajo su libro a la clase?

....

5. ¿Trajo el paraguas?

....

6. ¿Trajo el suéter?

....

7. ¿Dónde estuvo usted esta tarde?

....

8. ¿Dónde estuvo usted anoche?

....

9. ¿Tuvo usted una fiesta el sábado?

....

10. ¿Tuvo visitas el sábado?

....

PLURAL

The plural past tense endings of most irregular verbs are IMOS and IERON – just like the endings of regular ER verbs.

vinimos, *we came*	vinieron, *they came*
tuvimos, *we had*	tuvieron, *they had*
estuvimos, *we were*	estuvieron, *they were*
hicimos, *we did, made*	hicieron, *they did, made*
dijimos, *we said*	dijeron, *they said*
trajimos, *we brought*	trajeron, *they brought*

Notice that "dijeron" and "trajeron" end in ERON instead of IERON.

Read these sentences aloud:

1. Vinieron a la fiesta anoche.
   They came to the party last night.

2. ¿Por qué no vinieron al cine?
   Why didn't they come to the movies?

3. Vinimos a la clase temprano.
   We came to the class early.

4. Hicieron muchas cosas interesantes.
   They did many interesting things.

5. ¿Tuvieron una fiesta el martes?
   Did you (plural) have a party on Tuesday?

6. Tuvimos una fiesta el viernes.
   We had a party on Friday.

7. ¿Dijeron muchas cosas interesantes?
   Did they say many interesting things?

8. Trajimos los libros a la clase.
   We brought the books to the class.

Remember that the THEY form of every verb means several things.

Example:

vinieron, *you (plural) came, did you (plural) come?*
they came, did they come?

Remember:

venir *to come*

vine	vinimos
vino	vinieron

tener, *to have*

tuve	tuvimos
tuvo	tuvieron

estar, *to be*

estuve	estuvimos
estuvo	estuvieron

hacer, *to do, to make*

hice	hicimos
hizo	hicieron

decir, *to say*

dije	dijimos
dijo	dijeron

traer, *to bring*

traje	trajimos
trajo	trajeron

Lesson 31

(Present Progressive)
(Indirect Object Pronouns)

The English ending ING is ANDO in Spanish (for AR verbs).

Remove AR and add ANDO.

cantar, *to sing*	cantando, *singing*
regresar, *to return*	regresando, *returning*
esperar, *to hope, wait*	esperando, *hoping, waiting*

ING is IENDO for ER and IR verbs.

escribir, *to write*	escribiendo, *writing*
hacer, *to do, to make*	haciendo, *doing*
vender, *to sell*	vendiendo, *selling*

You have already learned the present tense of the verb "estar." Here is a reminder:

ESTAR, *to be*

(I am) ESTOY	ESTAMOS *(we are)*
(you are) ESTÁ	ESTÁN *(they are)*

Combine the present of the verb "estar" with these verbs and they make a new tense:

ESTOY CANTANDO *I am singing*	ESTAMOS CANTANDO *we are singing*
ESTÁ CANTANDO *you are singing*	ESTÁN CANTANDO *they are singing*

REMEMBER THESE WORDS

mi tío, *my uncle*
mi tía, *my aunt*
mi abuelo, *my grandfather*
mi abuela, *my grandmother*
la cocina, *the kitchen*
el astronauta, *the astronaut*
mi hermano, *my brother*
mi hermana, *my sister*
la sala, *the living room*
los dulces, *the candy*
mi primo, *my cousin (masc.)*
en el aire, *in the air*
en el espacio, *in space*

Remember that the YOU form of all verbs is also the HE, SHE and IT form.

Example:

está haciendo *you are doing, are you doing?*
he is doing, is he doing?
she is doing, is she doing?
it is doing, is it doing?

estoy escribiendo	está escribiendo
I am writing	*are you writing?*
estoy haciendo	está haciendo
I am doing, I am making	*are you doing, are you making?*
estoy estudiando	está estudiando
I am studying	*are you studying?*
estoy trabajando	está trabajando
I am working	*are you working?*
estoy progresando	está progresando
I am progressing	*are you progressing?*
estoy comprando	está comprando
I am buying	*are you buying*
estoy nadando	está nadando
I am swimming	*are you swimming?*
estoy jugando	está jugando
I am playing	*are you playing?*
estoy preparando	está preparando
I am preparing	*are you preparing?*
estoy hablando	está hablando
I am talking	*are you talking?*

Roberto está hablando por teléfono.
Robert is talking on the phone.
El astronauta está flotando.
The astronaut is floating.

SPEAKING EXERCISE

1. ¿Qué está haciendo? *What are you doing?*
2. Estoy preparando la lección.
3. Estoy hablando con Roberto.

4. Estoy estudiando la lección.
5. Estoy progresando mucho en la clase.
6. Estoy trabajando.
7. Roberto está trabajando.
8. Estoy escribiendo una carta.
9. María está nadando con mi tío.
10. Mi abuelo está fumando su pipa.
11. Mi abuela está haciendo dulces. *My grandmother is making candy.*
12. Mi hermana está trabajando en el jardín con papá.

CONVERSATION

1. ¿Qué está haciendo usted?
   Estoy estudiando la lección.
2. ¿Está escribiendo frases para la clase?
   Sí, estoy escribiendo frases para la clase.
3. ¿Está escribiendo una carta?
   No, no estoy escribiendo una carta.
4. ¿Que está haciendo el astronauta?
   El astronauta está flotando.
5. ¿Dónde está su papá?
   Está trabajando en el jardín.
6. ¿Dónde está su mamá?
   Está trabajando en el jardín con papá.
7. ¿Dónde está Roberto?
   Está hablando por teléfono.
8. ¿Dónde está Luis?
   Está en la tienda. Está comprando una camisa.

9. ¿Está flotando en el aire el profesor?
   No, eso es ridículo. El profesor no está flotando en el aire.
10. ¿Está flotando el astronauta en el espacio?
   Sí, el astronauta está flotando en el espacio.

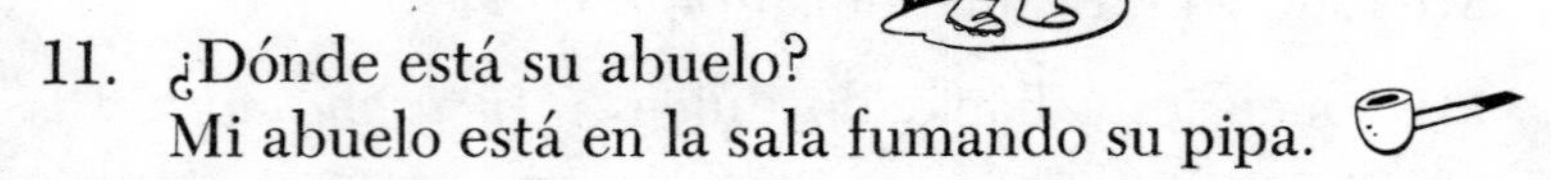

11. ¿Dónde está su abuelo?
   Mi abuelo está en la sala fumando su pipa.
12. ¿Dónde está su abuela?
   Mi abuela está en la cocina haciendo dulces.
13. ¿Dónde está su hermano?
   Mi hermano está jugando beisbol.
14. ¿Dónde está su hermana?
   Mi hermana está en el cine.

EXERCISES

Give the YOU form of the following verbs:

1. estoy nadando Example: está nadando
2. estoy haciendo ....
3. estoy hablando ....
4. estoy escribiendo ....
5. estoy vendiendo ....
6. estoy jugando ....
7. estoy progresando ....
8. estoy bailando ....
9. estoy esperando ....

10. estoy resistiendo ....

11. estoy cantando ....

12. estoy trabajando ....

13. estoy comprando ....

14. estoy preparando ....

Answer these questions:

1. ¿Qué está haciendo?

____

2. ¿Está escribiendo una carta?

____

3. ¿Está nadando Roberto?

____

4. ¿Está trabajando su tío?

____

5. ¿Está hablando por teléfono Roberto?

____

6. ¿Está haciendo dulces su abuela?

____

7. ¿Está jugando beisbol su abuela?

____

8. ¿Está en el cine su tío?

____

9. ¿Está trabajando su papá?

____

10. ¿Está fumando su abuelo?

____

INDIRECT OBJECT PRONOUNS

You have learned that LO means HIM and LA means HER. Now we learn something new.

LE means *to you*
to him
to her

Le hablé. *I talked to him, to her.*
Le vendí la casa. *I sold the house to him, to her.*

There is one Spanish verb that is very strange. Although this is an AR verb, it has ER endings in the past tense.

Here it is:

DAR, *to give*

(I gave)	DI	DIMOS	*(we gave)*
(you gave)	DIO	DIERON	*(they gave)*

Le di el libro. *I gave the book to you, him, her.*
Mi tío le dio un regalo. *My uncle gave him a present (a present TO him).*

(to me)	ME	NOS	*(to us)*
(to you, him, her)	LE	LES	*(to you (pl.), to them)*

Verbs which can be followed by TO, take LE. Examples:

Le hablé. *I talked TO you, him, her.*
Le canté. *I sang TO you, him, her.*
Le escribí. *I wrote TO you, him, her.*

Although "comprar" is followed by FOR, it takes LE.

Le compré un regalo. *I bought him a present. (I bought a present for him.)*

Mi tío le compró una bicicleta. *My uncle bought him a bicycle. (My uncle bought a bicycle for him.)*

REMEMBER: Pronouns are added on to the infinitive to make one word.

Voy a darle un libro. *I'm going to give him a book. (I'm going to give a book TO him.)*

Lesson 32

(Present Tense of Irregular Verbs)

Several irregular verbs end in GO in the I form of the present tense.

hacer, *to do, to make*	hago, *I do, I make*
poner, *to put*	pongo, *I put*
traer, *to bring*	traigo, *I bring*
salir, *to go out*	salgo, *I go out*

These verbs are regular in the present tense except for the I form.

hacer	hago	hace	hacemos	hacen
to do, make	*I do*	*you do*	*we do*	*they do*
poner	pongo	pone	ponemos	ponen
to put	*I put*	*you put*	*we put*	*they put*
traer	traigo	trae	traemos	traen
to bring	*I bring*	*you bring*	*we bring*	*they bring*
salir	salgo	sale	salimos	salen
to go out, to leave (a place)	*I go out, I leave*	*you go out, you leave*	*we go out, we leave*	*they go out, they leave*

You have already learned the present of the verb "to have" (tener). Compare the verb "to have" with the verb "to come" in the charts below.

TENER, *to have*

TENGO *I have*	TENEMOS *we have*
TIENE *you have*	TIENEN *they have*

VENIR, *to come*

VENGO *I come*	VENIMOS *we come*
VIENE *you come*	VIENEN *they come*

REMEMBER THESE WORDS

a las cinco, *at five o'clock*
a las dos, *at two o'clock*
¿a qué hora? *at what time (hour)?*
solo, *alone (masc.)*
mis, *my (pl.)*

mis primos, *my cousins*
la cama, *the bed*
a tiempo, *on time*
mi abuela, *my grandmother*
todos los días, *every day*

hago, *I do, I make*
traigo, *I bring*
salgo, *I go out, I leave*
vengo, *I come*

¿hace usted? *do you do? do you make?*
¿trae usted? *do you bring?*
¿sale usted? *do you go out? do you leave?*
¿viene usted? *do you come? are you coming?*

SPEAKING EXERCISE

1. ¿Por qué no hace dulces?
   Why don't you make (some) candy?
2. ¿Por qué no hace limonada?
3. ¿Por qué no hace la cama?
4. Mi abuela hace dulces deliciosos.
5. ¿Qué hace usted?
   What do you do?
6. Roberto hace muchas cosas interesantes.
7. ¿Por qué no trae el libro a la clase?
   Why don't you bring the book to the class?
8. ¿Por qué no trae el paquete? 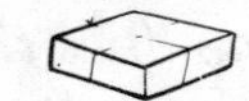
9. ¿Por qué no sale al jardín con Julia?
10. ¿A qué hora sale el tren?
    At what time does the train leave?
11. ¿A qué hora sale el avión?
12. Juan siempre pone la llave en la mesa.

13. ¿Por qué no viene a la fiesta?
Why don't you come to the party?
14. ¿Por qué no viene a mi casa esta noche?
15. ¿Por qué no viene a la clase mañana?
16. Venimos a la clase de español.
17. Mis primos vienen a mi casa todos los días.

CONVERSATION

1. ¿Hace usted dulces todos los días?
Do you make candy every day?
No, no hago dulces todos los días.
2. ¿Hace usted la cama todos los días?
Sí, hago la cama todos los días.
3. ¿Trae usted el libro a la clase?
Sí, traigo el libro a la clase.
4. ¿Trae usted el canario a la clase?
No, eso es absolutamente ridículo. No traigo el canario a la clase.
5. ¿A qué hora sale usted de la clase?
Salgo de la clase a las cinco.
6. ¿A qué hora sale el tren?
At what time does the train leave?
El tren sale a las dos.
7. ¿A qué hora sale el avión?
El avión sale a las cinco.
8. ¿Viene a la clase todos los días?
Sí, vengo a la clase todos los días.

9. ¿Viene usted a la clase con Julia?
No, no vengo a la clase con Julia.

10. ¿Viene usted a la clase solo (sola)?
Sí, vengo a la clase solo (sola).

11. ¿Viene usted a la clase en avión?
No, eso es ridículo. No vengo a la clase en avión.

EXERCISE

Answer these questions:

1. ¿Trae usted el canario a la clase?

___

2. ¿Trae usted el libro a la clase?

___

3. ¿Trae usted dulces a la clase?

___

4. ¿Viene usted a la clase a tiempo?

___

5. ¿Viene a la clase en la mañana?

___

6. ¿Viene a la clase en la tarde?

___

7. ¿Viene a la clase en la noche?

___

8. ¿Viene a la clase en taxi?

---

9. ¿Viene a la clase en avión?

---

10. ¿Hace usted dulces deliciosos?

QUERER, *to want, to love*

I want	QUIERO	QUEREMOS	*we want*
you want *he wants*	QUIERE	QUIEREN	*you (pl.) want* *they want*

Read these sentences aloud:

Quiero ir a México. *I want to go to Mexico.*
Quiero terminar pronto. *I want to finish soon.*
Quiero a mi hermano. *I love my brother.*

EVERYDAY EXPRESSIONS
(for conversation and study)

hace calor, *it's hot (it makes heat)*
hace frío, *it's cold (it makes cold)*
hace, *ago*
hace una hora, *an hour ago*
hace una semana, *a week ago*

NUMBERS

1, *uno*
2, *dos*
3, *tres*
4, *cuatro*
5, *cinco*
6, *seis*
7, *siete*
8, *ocho*
9, *nueve*
10, *diez*
11, *once*
12, *doce*
13, *trece*
14, *catorce*
15, *quince*
16, *diez y seis (dieciséis)*
17, *diez y siete (diecisiete)*
18, *diez y ocho (dieciocho)*
19, *diez y nueve (diecinueve)*
20, *veinte*
21, *veintiuno*
30, *treinta*
31, *treinta y uno*
40, *cuarenta*
41, *cuarenta y uno*
50, *cincuenta*
60, *sesenta*
70, *setenta*
80, *ochenta*
90, *noventa*
100, *cien*
1000, *mil*

THE DAYS OF THE WEEK

el lunes, *Monday*
el martes, *Tuesday*
el miércoles, *Wednesday*
el jueves, *Thursday*
el viernes, *Friday*
el sábado, *Saturday*
el domingo, *Sunday*

THE MONTHS OF THE YEAR

enero, *January*
febrero, *February*
marzo, *March*
abril, *April*
mayo, *May*
junio, *June*
julio, *July*
agosto, *August*
septiembre, *September*
octubre, *October*
noviembre, *November*
diciembre, *December*

THE SEASONS

la primavera, *spring*
el verano, *summer*
el otoño, *autumn*
el invierno, *winter*

THE MEALS

el desayuno, *breakfast*
el almuerzo, *lunch*
la cena, *supper*
la comida, *the meal, dinner*

SPANISH-ENGLISH VOCABULARY

VOCABULARIO ESPAÑOL-INGLÉS

A

a, *to*
al, *to the*
abrigo, *m. coat*
abril, *April*
absolutamente, *absolutely*
abuela, *f. grandmother*
abuelo, *m. grandfather*
accidente, *m. accident*
acción, *f. action*
activa, *f. active*
actividad, *f. activity*
activo, *m. active*
acto, *m. act*
actor, *m. actor*
aeropuerto, *m. airport*
Africa, *Africa*
agencia, *f. agency*
agente, *m. agent*
agosto, *August*
agua, *f. water*
aire, *m. air*
Alberto, *Albert*
Alicia, *Alice*
almuerzo, *m. lunch*
alta, *f. high*
alto, *m. high*
ambición, *f. ambition*
ambulancia, *f. ambulance*
amiga, *f. friend*
amigo, *m. friend*
animal, *m. animal*
aniversario, *m. anniversary*
anoche, *last night*
aristocracia, *f. aristocracy*
arquitecto, *m. architect*
artículo, *m. article*
artista, *m. & f. artist*
aspecto, *m. aspect*
aspirina, *f. aspirin*
astronauta, *m. astronaut*
atención, *f. attention*
Atlántico, *m. Atlantic*
atómica, *f. atomic*
atómico, *m. atomic*
atractiva, *f. attractive*
atractivo, *m. attractive*
atrocidad, *f. atrocity*
auto, *m. car, auto*
autobús, *m. bus*
aviación, *f. aviation*
avión, *m. airplane*
ay, *oh*
ayer, *yesterday*
azul, *blue*

B

bailar, *to dance*
banco, *m. bank*
beisbol, *m. baseball*
bicicleta, *f. bicycle*
bien, *well*
bistec, *m. beefsteak*
blanca, *f. white*
blanco, *m. white*
blusa, *f. blouse*
bonita, *f. pretty*
bonito, *m. pretty*
bridge, *m. bridge (game)*
buena, *f. (sing.) good*
buenas, *f. (pl.) good*
  buenas noches, *good evening, good night*
  buenas tardes, *good afternoon*
bueno, *m. (sing.) good*
buenos, *m. (pl.) good*
  buenos días, *good morning*

C

cable, *m. cable*
cablegrama, *m. cablegram*
café, *m. coffee*
calor, *m. heat*
  hace calor, *it's hot*
cama, *f. bed*
camisa, *f. shirt*
camión, *m. truck*
campo, *m. country (not nation)*
canal, *m. canal*
canario, *m. canary*
canción, *f. song*
cansada, *f. tired*
cansado, *m. tired*
cantar, *to sing*
capacidad, *f. capacity*
capitalista, *m. capitalist*

caramelo, m. *caramel*
Carlos, *Charles*
carta, *f. letter*
casa, *f. house*
  en casa, *at home*
catorce, *fourteen*
celebración, *f. celebration*
celebrar, *to celebrate*
cena, *f. supper*
central, *m. & f. central*
centro, *m. middle, center*
cereal, *m. cereal*
chicle, *m. chewing gum*
chiquito, *m. tiny, little*
chocolate, *m. chocolate (drink)*
chocolates, *m. chocolates (candy)*
cielo, *m. sky*
cien, *one hundred*
científico, *m. scientific*
cinco, *five*
cincuenta, *fifty*
cine, *m. movies*
ciudad, *f. city*
clase, *f. class*
cliente, *m. & f. client*
club, *m. club*
cocina, *f. kitchen*
colección, *f. collection*
colombiano, *Colombian*
colonial, *m. & f. colonial*
color, *m. color*
combinación, *f. combination*
combinar, *to combine*
comida, *f. meal, dinner*
como, *as; I eat*
¿cómo?, *how?*
comparar, *to compare*
competente, *m. & f. competent*
completamente, *completely*
complexión, *f. complexion*
composición, *f. composition*
comprar, *to buy*
comprender, *to understand*
comprendo, *I understand*
compro, *I buy*
comunicación, *f. communication*
comunicar, *to communicate*
comunidad, *f. community*
comunista, *m. communist*
con, *with*
concentración, *f. concentration*
concentrar, *to concentrate*
condición, *f. condition*
conductor, *m. conductor (train)*
conferencia, *f. conference, lecture*
confusión, *f. confusion*
consistir, *to consist*
constante, *m. & f. constant*
constitución, *f. constitution*
constructiva, *f. constructive*
constructivo, *m. constructive*
contacto, *m. contact*
contenta, *f. happy*
contento, *m. happy*
continente, *m. continent*
contraria, *f. contrary*
contrario, *m. contrary*
contribución, *f. contribution*
conveniente, *m. & f. convenient*
conversación, *f. conversation*
conversar, *to converse*
copiar, *to copy*
corbata, *f. necktie*
correcta, *f. correct*
correcto, *m. correct*
cosa, *f. thing*
creer, *to believe, to think*
crema, *f. cream*
cultivar, *to cultivate*
¿cuándo?, *when?*
cuarenta, *forty*
cuarenta y uno, *forty-one*
cuatro, *four*
cubano, *m. Cuban*
curar, *to cure*
curiosidad, *f. curiosity*
curiosa, *f. curious*
curioso, *m. curious*

D

dar, *to give*
de, *of, from, about*
decente, *m. & f. decent*
decidir, *to decide*
decir, *to say, to tell*

decisión, *f. decision*
defectiva, *f. defective*
defectivo, *m. defective*
defecto, *m. defect*
del, *m. of the*
deliciosa, *f. delicious*
delicioso, *m. delicious*
democracia, *f. democracy*
democrática, *f. democratic*
democrático, *m. democratic*
dentista, *m. dentist*
depositar, *to deposit*
desayuno, *m. breakfast*
describir, *to describe*
descripción, *f. description*
descriptiva, *f. descriptive*
descriptivo, *m. descriptive*
despacho, *m. office*
después, *after, afterward*
destructiva, *f. destructive*
destructivo, *m. destructive*
di, *I gave*
día, *m. day*
  todo el día, *all day long*
  todos los días, *everyday*
diccionario, *m. dictionary*
diciembre, *December*
diecinueve, *nineteen*
dieciocho, *eighteen*
dieciséis, *sixteen*
diecisiete, *seventeen*
diez, *ten*
diferencia, *f. difference*
diferente, *m. & f. different*
dignidad, *f. dignity*
dije, *I said*
dinero, *m. money*
diploma, *m. diploma*
diplomacia, *f. diplomacy*
diplomática, *f. diplomatic*
diplomático, *m. diplomatic*
directa, *f. direct*
directo, *m. direct*
director, *m. director*
disciplina, *f. discipline*
disco, *m. phonograph record*
distancia, *f. distance*
dividir, *to divide*
división, *f. division*
doce, *twelve*
doctor, *m. doctor*
domingo, *m. Sunday*
¿dónde?, *where?*
dos, *two*
drama, *m. drama*
dramática, *f. dramatic*
dramático, *m. dramatic*
dulces (los), *m. candy*

E

economista, *m. economist*
edificio, *m. building*
efectiva, *f. effective*
efectivo, *m. effective*
efecto, *m. effect*
el, *m. the*
elástico, *m. elastic*
elección, *f. election*
eléctrica, *f. electric*
electricidad, *f. electricity*
eléctrico, *m. electric*
elefante, *m. elephant*
elegancia, *f. elegance*
elegante, *m. & f. elegant*
emblema, *m. emblem*
emergencia, *f. emergency*
emoción, *f. emotion*
en, *in, on*
enero, *January*
enferma, *f. sick*
enfermo, *m. sick*
ensalada, *f. salad*
entrar, *to enter, to go in, to come in*
entusiasmo, *m. enthusiasm*
error, *m. error*
es, *is*
escribir, *to write*
escribo, *I write*
esa, *f. that*
escuela, *f. school*
eso, *m. that*
espacio, *m. space*
español, *m. Spanish*
espárragos, *m. asparagus*
esperar, *to hope, wait, expect*
esta, *f. this*
está, *you are, he, she, it is,*
  are you? is he, she, it?

estación, *f. station*
estamos, *we are*
están, *you (pl.) are, they are*
estar, *to be*
estatua, *f. statue*
estoy, *I am*
estrella, *f. star*
estudiante, *m. & f. student*
estudiar, *to study*
estudio, *I study*
estuve, *I was*
eternidad, *f. eternity*
evadir, *to evade*
evidencia, *f. evidence*
evidente, *m. & f. evident*
exacta, *f. exact*
exacto, *m. exact*
examinar, *to examine*
excelencia, *f. excellence*
excelente, *m. & f. excellent*
exclusiva, *f. exclusive*
exclusivo, *m. exclusive*
existir, *to exist*
expansión, *f. expansion*
experiencia, *f. experience*
experimentación, *f. experimentation*
experimentar, *to experiment*
exploración, *f. exploration*
explorar, *to explore*
explosión, *f. explosion*
explosiva, *f. explosive*
explosivo, *m. explosive*
exportar, *to export*
expresión, *f. expression*
expresiva, *f. expressive*
expresivo, *m. expressive*
extracto, *m. extract*
extraordinaria, *f. extraordinary*
extraordinario, *m. extraordinary*

F

fabulosa, *f. fabulous*
fabuloso, *m. fabulous*
familia, *f. family*
famosa, *f. famous*
famoso, *m. famous*
fantástica, *f. fantastic, "terrific"*
fantástico, *m. fantastic, "terrific"*
farmacia, *f. drugstore, pharmacy*
favor, *m. favor*
febrero, *February*
federal, *m. & f. federal*
fiesta, *f. party*
final, *m. & f. final*
finalmente, *finally*
flexible, *m. & f. flexible*
flor, *f. flower*
flotar, *to float*
fonógrafo, *m. phonograph*
formal, *m. & f. formal*
formalidad, *f. formality*
formar, *to form*
fortuna, *f. fortune*
  por fortuna, *fortunately*
fotografía, *f. photograph*
Francia, *France*
frase, *f. sentence, phrase*
frecuencia, *f. frequence*
frente, *m. front*
  en frente de, *in front of*
fresca, *f. fresh, cool*
frío, *m. cold*
  hace frío, *it's cold*
frivolidad, *f. frivolity*
fruta, *f. fruit*
fue, *you, he, she, it went*
fueron, *you (pl.) went, they went*
fui, *I went*
fuimos, *we went*
fuman, *you (pl.) smoke, they smoke*
fumar, *to smoke*
furiosa, *f. furious*
furioso, *m. furious*

G

gabardina, *f. gabardine*
garaje, *m. garage*
gasolina, *f. gasoline*
gato, *m. cat*
gelatina, *f. gelatine*
generalmente, *generally*
generosa, *f. generous*
generoso, *m. generous*
geranio, *m. geranium*
golf, *m. golf*
gracia, *f. grace*
gracias, *thank you*

grande, *m. & f. big*
guitarra, *f. guitar*
guitarrista, *m. guitarist*
gustar, *to like*
me gusta, *I like it, I like . . .*
le gusta, *you like,*
he, she, it likes . . .

H

hablar, *to speak*
hablo, *I speak*
hace, *you do, make*
he, she, it does, makes
hace calor, *it's hot*
hace frío, *it's cold*
hace una hora, *an hour ago*
hacer, *to do, to make*
hago, *I do, I make*
hay, *there is, there are*
is there?, are there?
hermana, *f. sister*
hermano, *m. brother*
hice, *I did, I made*
hizo, *you, he, she, it did, made*
hombre, *m. man*
honor, *m. honor*
hora, *f. hour*
horrible, *m. & f. horrible*
hospital, *m. hospital*
hospitalidad, *f. hospitality*
hotel, *m. hotel*
humanidad, *f. humanity*
humor, *m. humor*

I

idealista, *m. & f. idealist*
ignorante, *m. & f. ignorant*
importancia, *f. importance*
importante, *m. & f. important*
importar, *to import*
imposible, *impossible*
impresión, *f. impression*
independencia, *f. independence*
indiferencia, *f. indifference*
indirecta, *f. indirect*
indirecto, *m. indirect*
inevitable, *m. & f. inevitable*
inglés, *m. English*
inmensa, *f. immense*
inmenso, *m. immense*
inocencia, *f. innocence*
insecto, *m. insect*
insistir, *to insist*
insolencia, *f. insolence*
instante, *m. instant*
instrumento, *m. instrument*
inteligente, *m. & f. intelligent*
intelecto, *m. intellect*
inteligencia, *f. intelligence*
intención, *f. intention*
interesante, *m. & f. interesting*
inventar, *to invent*
invierno, *m. winter*
invisible, *m. & f. invisible*
invitación, *f. invitation*
invitar, *to invite*
ir, *to go*
irresistible, *m. & f. irresistible*
isla, *f. island*
italiano, *m. Italian*
italianos, *m. Italians*

J

jamón, *m. ham*
jardín, *m. garden*
Juan, *John*
jueves, *m. Thursday*
jugar, *to play*
julio, *July*
junio, *June*
justicia, *f. justice*

L

la, *her, you, it (fem.)*
la, *the (fem.)*
laboratorio, *m. laboratory*
lago, *m. lake*
las, *the (fem. plural)*
las, *them (fem.)*

le, *to you, him, her, it*
lección, *f. lesson*
leer, *to read*
legal, *m. & f. legal*
leo, *I read*
les, *to them, to you (pl.)*
librería, *f. bookstore*
libro, *m. book*
limonada, *f. lemonade*
linda, *f. lovely*
lindo, *m. lovely*
lista, *f. ready*
listo, *m. ready*
literaria, *f. literary*
literario, *m. literary*
llave, *f. key*
llevar, *to take*
lo, *him, you, it (masc.)*
loca, *f. crazy*
local, *m. & f. local*
loco, *m. crazy, mad*
locura, *f. madness*
los, *the (masc. pl.)*
los, *them (masc.)*
luna, *f. moon*
lunes, *m. Monday*
luz, *f. light*

M

mamá, *f. mother*
mansión, *f. mansion*
mañana, *f. morning; tomorrow*
mar, *m. sea*
marchar, *to march*
María, *Mary*
mariposa, *f. butterfly*
martes, *m. Tuesday*
marzo, *March*
mayo, *May*
me, *me, to me*
medicina, *f. medicine*
mejor, *m. & f. better*
melón, *m. melon, cantaloupe*
mercado, *m. market*
mesa, *f. table*
metal, *m. metal*
metodista, *m. & f. Methodist*
mexicano, *m. Mexican*
mí, *me*
mi, *my*
miércoles, *m. Wednesday*
mil, *one thousand*
millones, *millions*
mina, *f. mine (noun)*
misteriosa, *f. mysterious*
misterioso, *m. mysterious*
moderna, *f. modern*
moderno, *m. modern*
montaña, *f. mountain*
moralidad, *f. morality*
mosquito, *m. mosquito*
motor, *m. motor*
mucha, *f. much, a lot*
muchas, *f. pl. many, a lot*
mucho, *m. much, a lot*
muchos, *m. pl. many, a lot*
mundo, *m. world*
municipalidad, *f. municipality*
museo, *m. museum*
música, *f. music*
muy, *very*

N

nación, *f. nation*
nacionalidad, *f. nationality*
nada, *nothing*
nadar, *to swim*
nado, *I swim*
nativa, *f. native*
nativo, *m. native*
natural, *m. & f. natural*
naturalmente, *naturally*
necesaria, *f. necessary*
necesario, *m. necessary*
necesidad, *f. necessity, need*
negativa, *f. negative*
negativo, *m. negative*
negra, *f. black*
negro, *m. black*
niños, *m. pl. children*
no, *no, not*
noble, *m. & f. noble*
noche, *f. night*
nos, *us*
nosotras, *f. we*
nosotros, *m. we*

notar, *to notice*
novela, *f. novel*
novelista, *m. & f. novelist*
noventa, *ninety*
noviembre, *November*
nueve, *nine*

O

o, *or*
obscuridad, *f. darkness, obscurity*
océano, *m. ocean*
Océano Pacífico, *m. Pacific Ocean*
ochenta, *eighty*
ocho, *eight*
octubre, *October*
oculista, *m. & f. oculist*
ocupada, *f. busy*
ocupado, *m. busy*
ofender, *to offend*
ofensiva, *f. offensive*
ofensivo, *m. offensive*
once, *eleven*
optimista, *m. & f. optimist*
ordinaria, *f. ordinary*
ordinario, *m. ordinary*
organista, *m. & f. organist*
otoño, *m. autumn*
otra, *f. other, another*
otro, *m. other, another*

P

paciente, *m. patient*
Pacífico, *m. Pacific*
país, *m. country (nation)*
pájaro, *m. bird*
paloma, *f. dove, pigeon*
pan, *m. bread*
panorama, *m. panorama*
papá, *m. father*
papas, *f. potatoes*
paquete, *m. package*
para, *for*
paraguas, *m. umbrella*
parque, *m. park*
pasada, *past*
  la semana pasada, *last week*
pasado, *past*
  el sábado pasado, *last Saturday*
penicilina, *f. penicillin*
pensión, *f. pension*
peor, *m. & f. worse*
pera, *f. pear*
perdón, *pardon*
perfecta, *f. perfect*
perfecto, *m. perfect*
periódico, *m. newspaper*
periodista, *m. journalist*
permanente, *m. & f. (adj.) permanent*
permanente, *m. (noun) permanent*
permitir, *to permit*
pero, *but*
perro, *m. dog*
persistencia, *f. persistence*
persistir, *to persist*
persona, *f. person*
personal, *m. & f. personal*
personalidad, *f. personality*
persuadir, *to persuade*
pesimista, *m. & f. pessimist*
pianista, *m. & f. pianist*
piano, *m. piano*
pintura, *f. painting*
pipa, *f. pipe*
piscina, *f. swimming pool*
planeta, *m. planet*
planta, *f. plant*
plantar, *to plant*
plato, *m. plate, dish*
playa, *f. beach*
plural, *m. & f. plural*
pobre, *m. & f. poor*
poca, *f. a little bit*
poco, *m. a little bit*
poema, *m. poem*
pone, *you put, he, she, it puts*
poner, *to put*
pongo, *I put*
popular, *m. & f. popular*
por, *by*
  por favor, *please*
  ¿por qué?, *why?*
  por teléfono, *on the phone*
porque, *because*

posibilidad, *f. possibility*
posible, *m. & f. possible*
posiblemente, *possibly*
postre, *m. dessert*
preciosa, *f. precious*
precioso, *m. precious*
preparación, *f. preparation*
preparar, *to prepare*
presentación, *f. presentation*
presentar, *to present*
presente, *m. & f. present*
presidente, *m. president*
primaria, *f. primary*
primario, *m. primary*
primavera, *f. spring*
primitiva, *f. primitive*
primitivo, *m. primitive*
primo, *m. cousin*
probable, *m. & f. probable*
probablemente, *probably*
problema, *m. problem*
productiva, *f. productive*
productivo, *m. productive*
producto, *m. product*
programa, *m. program*
progresar, *to progress*
progresiva, *f. progressive*
progresivo, *m. progressive*
progreso, *I progress*
prominente, *m. & f. prominent*
prosperidad, *f. prosperity*
protestar, *to protest*
publicidad, *f. publicity*
público, *m. public*

Q

que, *that, than*
¿qué?, *what?*
querer, *to want, to love*
¿quién?, *who?*
quiero, *I want, I love*
quince, *fifteen*
quinina, *f. quinine*

R

rancho, *m. ranch*
realidad, *f. reality*
recibo, *I receive*
recomendación, *f. recommendation*
recomendar, *to recommend*
reflexión, *f. reflexion*
regalo, *m. present*
regresar, *to return, to get back*
to come back
religiosa, *f. religious*
religioso, *m. religious*
representación, *f. representation*
representar, *to represent*
resistir, *to resist*
responsable, *m. & f. responsible*
restaurante, *m. restaurant*
revelación, *f. revelation*
revolución, *f. revolution*
ridícula, *f. ridiculous*
ridículo, *m. ridiculous*
Roberto, *Robert*
roja, *f. red*
rojo, *red*
romántica, *f. romantic*
romántico, *m. romantic*
rosa, *f. rose*
rosario, *m. rosary*
rosbif, *m. roast beef*
ruso, *m. Russian*
rusos, *m. Russians*

S

sábado,*m. Saturday*
sala, *f. living room*
salgo, *I go out*
salir, *to go out, to leave (a place)*
salmón, *m. salmon*
salvación, *f. salvation*
salvar, *to save*
sándwich, *m. sandwich*
sardina, *f. sardine*
satélite, *m. satellite*
sé, *I know*
secretaria, *f. secretary*
secretario, *m. secretary*
seis, *six*

semana, *f. week*
  el fin de semana, *the weekend*
senor, *m. mister, sir*
señora, *f. Mrs., madam*
señorita, *f. young lady, miss*
separación, *f. separation*
separar, *to separate*
septiembre, *September*
serenata, *f. serenade*
sesenta, *sixty*
setenta, *seventy*
sí, *yes*
siempre, *always*
siete, *seven*
simpática, *f. charming*
simpático, *m. charming*
sinceridad, *f. sincerity*
socialista, *m. & f. socialist*
sociedad, *f. society*
sofá, *m. sofa*
sola, *f. alone*
solo, *m. alone*
solitaria, *f. solitary*
solitario, *m. solitary*
sombrero, *m. hat*
son, *are (pl.)*
sopa, *f. soup*
su, *your, his, her, their*
suéter, *m. sweater*
suficiente, *m. & f. enough*
sus, *their (pl.)*

T

también, *too, also*
tarde, *f. afternoon*
tarde, *late*
taxi, *m. taxi*
taza, *f. cup*
té, *m. tea*
teatro, *m. theater*
telegrama, *m. telegram*
temporaria, *f. temporary*
temporario, *m. temporary*
temprano, *early*
tendencia, *f. tendency*
tenemos, *we have*
tener, *to have*
tengo, *I have*
tenis, *m. tennis*
terminar, *to finish*
terraza, *f. terrace*
terrible, *m. & f. terrible*
tía, *f. aunt*
tiempo, *m. time*
  a tiempo, *on time*
tienda, *f. store*
tiene, *you have, he, she, it has*
tienen, *you (pl.) have, they have*
tierra, *f. earth*
tío, *m. uncle*
tigre, *m. tiger*
tocar, *to play*
toda, *f. all*
todas, *f. every*
todo, *m. all*
todos, *m. every; everybody*
tolerancia, *f. tolerance*
tomar, *to take*
tomo, *I take*
tónico, *m. tonic*
torero, *m. bullfighter*
toro, *m. bull*
trabajar, *to work*
trabajo, *m. work (noun)*
trabajo, *I work*
tractor, *m. tractor*
traer, *to bring*
tráfico, *m. traffic*
traigo, *I bring*
traje, *I brought*
trajo, *you, he, she, it brought*
transparente, *m. & f. transparent*
trece, *thirteen*
treinta, *thirty*
treinta y uno, *thirty one*
tren, *m. train*
tres, *three*
trinidad, *f. trinity*
triste, *m. & f. sad*
tropical, *m. & f. tropical*
tulipán, *m. tulip*
tumor, *m. tumor*
turista, *m. & f. tourist*
tuve, *I had*

U

un, *a, an (masc.)*
una, *a, an (fem.)*
universidad, *f. university*
uno, *one*
urgencia, *f. urgency*
urgente, *m. & f. urgent*
usar, *to use*
usted, *you (sing.)*
ustedes, *you (pl.)*

V

va, *you go, he, she, it goes*
you are going, he, she, it is going
valiente, *m. & f. brave*
valle, *m. valley*
vamos, *we go, we are going, let's go*
van, *you (pl.) go, they go,*
you (pl.) are going,
they are going
variedad, *f. variety*
vaselina, *f. vaseline*
veinte, *twenty*
veintiuno, *twenty one*
velocidad, *f. velocity, speed*
vender, *to sell*
vendo, *I sell*
vengo, *I come*
venir, *to come*
ventilación, *f. ventilation*
ver, *to see*
verano, *m. summer*
vestido, *m. dress*
veterinario, *m. veterinary*
vi, *I saw*
victoriosa, *f. victorious*
victorioso, *m. victorious*
viene, *you come, he, she, it comes*
viernes, *m. Friday*
vigor, *m. vigor*
vine, *I came*
violencia, *f. violence*
violeta, *f. violet*
visible, *m. & f. visible*
visita, *f. visitor*
visitar, *to visit*
visitas, *f. visitors, company*
vitalidad, *f. vitality*
vitamina, *f. vitamin*
vivir, *to live*
vivo, *I live*
voluntaria, *f. voluntary*
voluntario, *m. voluntary*
votar, *to vote*
voy, *I go, I am going*

Y

y, *and*
yo, *I*